Jean-Paul Valette
Rebecca M. Valette
Teresa Carrera-Hanley

Spanish for Mastery 3

Situaciones

Workbook

D.C. Heath and Company
Lexington, Massachusetts   Toronto, Ontario

Project Editor
Cynthia Swain

Senior Production Coordinator
Donna Lee Porter

Book Design
Paulette J. Crowley

Illustrator
Walter Fournier

illustrations
pages 2, 64, 74, 170, 172
Mary Keefe

Published simultaneously in Canada

Printed in the United States of America

International Standard Book Number: 0-669-31378-5

4 5 6 7 8 9 10 DBH 99 98 97 96 95

Contenido

Contenido

Nombre: _____   Fecha: _____

Para su referencia. . .

A. Los verbos regulares

1 Lo que hacen

Complete lógicamente cada una de las siguientes oraciones con uno de los verbos de la lista.

abrir	bajar	olvidar
alquilar	correr	patinar
apagar	descansar	quemar
aprender	esconder	regalar
asistir	mirar	subir

MODELO: Durante la semana, trabajamos mucho, pero los domingos *descansamos*.

1. Mis primos no son dueños *(owners)* de su apartamento. Lo _____ por 10.000 pesos al mes.

2. Hoy es el cumpleaños de María Cristina. Su novio le _____ una pulsera *(bracelet)* de plata.

3. Los viajeros llegan a la estación. Compran sus billetes *(tickets)* y después _____ al tren.

4. No tienes buena memoria. _____ todo.

5. ¿Qué idioma _____ Ud. en el colegio? ¿Francés o inglés?

6. ¿Por qué _____ la ventana? ¿Tienes calor?

7. El Sr. Suárez _____ el radio. No quiere escuchar el concierto de música rock.

8. Felipe no está en casa. Está en el estadio donde _____ a un partido de fútbol.

9. ¡Perdóneme, señorita! ¿_____ Ud. del autobús en la próxima parada *(stop)*?

10. Somos deportistas. Nadamos, esquiamos y cada día _____ unos cinco kilómetros.

11. Estoy en el cine. _____ una película de ciencia ficción.

12. En esa película de aventura, los piratas _____ su tesoro *(treasure)* en una isla desierta del Caribe.

13. Cuando hace mucho frío, vamos al lago y _____ sobre el hielo *(ice)*.

14. El espía *(spy)* _____ los documentos secretos en la chimenea *(fireplace)* de su casa.

2 A Ud. le toca

Complete las siguientes oraciones con uno de los verbos de la lista y una expresión personal. Los verbos pueden ser afirmativos o negativos.

arreglar	cuidar	leer
ayudar	deber	llorar
caminar	gastar	vivir
comprender	lavar	

MODELO: Yo *no comprendo a la profesora de francés cuando ella habla muy rápido.*

1. Ud. _____

2. La doctora Martínez _____

3. Nosotros _____

4. Antonio _____

5. Tú _____

6. Uds. _____

7. Mi papá _____

8. Yo _____

9. Los niños _____

10. Nosotros, los norteamericanos, _____

B. Verbos irregulares en la forma yo del presente

D. Verbos con otras formas irregulares

3 ¡Yo!

Complete lógicamente las siguientes oraciones con la forma **yo** de los verbos de la lista.

conducir	escoger	parecer	saber
conocer	hacer	pertenecer	salir
construir	huir	poner	traer
dirigir	merecer	proteger	ver
distribuir			

MODELO: Soy una persona simpática y *conozco* a todos los estudiantes en la clase.

1. Soy muy inteligente y estudio mucho. Por eso _____ una "A" en la clase de español.

2. Soy muy rico y _____ un Rolls Royce.

3. Soy muy generoso y les _____ mi dinero a los pobres.

4. Tengo muchos amigos con quienes _____ los sábados por la noche.

5. Soy bien educado y siempre les _____ un regalo a mis amigos cuando me invitan a cenar en su casa.

6. Soy deportista y _____ a un club de tenis.

7. Soy buen estudiante y siempre _____ la tarea antes de ir a clase.

8. Soy una persona muy valiente (courageous) y nunca _____ del peligro (danger).

9. Soy una persona justa y siempre _____ a los inocentes.

10. Soy constructor (builder) y _____ muchas casas bellísimas (very beautiful).

11. Soy una persona muy elegante y solamente _____ ropa de moda (fashionable).

12. Soy ahorrador (thrifty) y _____ mi dinero en el banco.

13. Soy ejecutivo y _____ una compañía de electrónica.

14. Tengo solamente diez años pero soy alto y _____ mayor que mi edad.

15. Estoy perdido. No _____ dónde está la calle que busco.

16. Llevo gafas porque no _____ bien.

C. Verbos irregulares

4 Preguntas y respuestas

Complete las siguientes oraciones lógicamente usando los verbos entre paréntesis.

1. (oír) —¿_____ Uds. el ruido?
—Yo no _____ nada. Y tú, Carlos, ¿_____ algo?

2. (decir) —¿_____ Uds. la verdad?
—Claro, yo siempre _____ la verdad. Y creo que Paco la _____ también.

3. (ir) —Clara, ¿adónde _____ este verano?
—_____ a España con mis hermanas. _____ a pasar dos semanas en casa de nuestros amigos españoles.

4. (ser) —¿De dónde _____ Uds.?
—Yo _____ de Lima. Y mi primo _____ de Cuzco.

5 Dar y tener

Complete las siguientes oraciones con expresiones idiomáticas con **dar** y **tener**.

1. Si Uds. _____ comer, podemos ir a este restaurante.

2. Me gustaría salir contigo esta noche pero no puedo. _____ hacer la tarea.

3. Ud. es muy amable. Yo le _____ por su ayuda.

4. No tengo tiempo para hablar contigo ahora. Tengo que tomar un tren en una hora y no quiero perderlo. Lo siento mucho, pero _____.

5. ¿Cómo? ¿No _____, Carlitos? ¡Son las once y tienes que acostarte!

6. Mi prima Isabel _____. El año pasado, se sacó el gordo en la lotería.

7. Evita, ¿por qué _____? No hay fantasmas (*ghosts*) en esta casa.

8. La conferencia sobre el arte azteca _____ en la biblioteca municipal.

9. Ana y Roberto no están en casa. _____ por el centro.

10. Eres un buen conductor. Siempre _____ con el tráfico.

D. Verbos con otras formas irregulares

6 ¿Cuál verbo?

Escoja los verbos que completen las siguientes oraciones y márquelos con un círculo.

MODELO: ¿(Conoces)/ Sabes) a mi amiga Luisa Allende?

1. Mi hermano no (sabe / puede) conducir. Tiene los dos brazos rotos.

2. No (sé / puedo) jugar al tenis contigo porque no tengo mi raqueta.

3. La señora le (pregunta / pide) café al camarero.

4. El turista le (pregunta / pide) al policía donde está la estación.

5. Nunca les (pregunto / pido) dinero a mis padres.

6. ¿(Saben / Conocen) Uds. un hotel barato?

7. ¿(Saben / Conocen) Uds. cuánto cuesta este libro?

8. No (podemos / sabemos) nadar hoy. La piscina está cerrada.

Unidad 1

Escenas de la vida

Escena 1. El mundo es un pañuelo

1 Comprensión del texto e interpretación personal

Lea otra vez el texto en las páginas 2–3 de su libro y conteste las siguientes preguntas.

1. ¿Dónde tiene lugar la escena?

_____

_____

_____

_____

2. ¿Cuál es la coincidencia?

_____

_____

_____

_____

_____

_____

3. Al final de la escena, ¿qué le propone Antonio a Dorotea?

_____

_____

_____

_____

_____

4. Según Ud., ¿va a aceptar la invitación Dorotea? ¿Por qué o por qué no? Explique su respuesta.

_____

_____

_____

_____

_____

_____

2 Los diarios

Al regresar a su hotel, Dorotea Dávalos anota el encuentro con Antonio en su diario. Complete lo que ella escribe.

Acabo de conocer a _____

Se llama _____

Es _____

_____

_____

Vive _____

¡Qué coincidencia! _____

Antonio García también tiene un diario en el cual (which) anota su encuentro con Dorotea y su impresión de ella. Complete su diario.

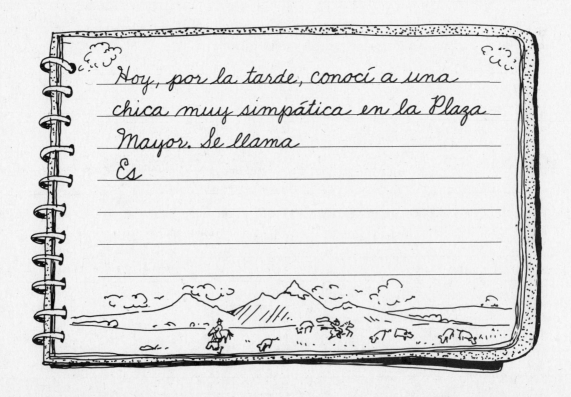

Hoy, por la tarde, conocí a una chica muy simpática en la Plaza Mayor. Se llama _____

Es _____

_____

_____

_____

Escena 2. ¡Cómo vuela el tiempo!

3 Comprensión del texto e interpretación personal

Lea otra vez el texto en las páginas 4–5 de su libro y conteste las siguientes preguntas.

1. ¿Dónde y cuándo tiene lugar la escena?

_____

_____

_____

_____

_____

2. ¿Qué ocurre cuando Marisol Durán entra en la sala? ¿Por qué ocurre esto?

_____

_____

_____

_____

_____

3. ¿Por qué Jorge no reconoce a Marisol?

_____

_____

_____

_____

_____

_____

OBSERVACIONES IMPORTANTES

Es obligación del titular de este pasaporte obtener la visa para ingresar a otro país como inmigrante o visitante temporal. En la oficina expedidora le orientarán sobre este aspecto.

En el exterior, informe al funcionario consular colombiano más próximo de toda calamidad o problema que le afecte con el propósito de que le conceda la orientación o protección consagradas por la costumbre, el Derecho Internacional o los Tratados vigentes.

Cuando el viajero proyecte regresar podrá conocer en el Consulado de Colombia las normas que le permitan traer al país su equipaje o menaje doméstico, según el caso, así como los impuestos a que pueda haber lugar.

Tenga presente que quién altere el contenido de este pasaporte, o sin ser su titular hiciese uso de él fraudulentamente, se hace acreedor a las sanciones establecidas en el Código Penal, Título: DELITOS CONTRA LA FE PUBLICA.

Todo alteración en este pasaporte implica su invalidez.

REPÚBLICA DE COLOMBIA
PASAPORTE

El Gobierno de Colombia solicita a las autoridades nacionales y extranjeras dar al titular del presente pasaporte las facilidades para su normal tránsito y brindarle, en caso de necesidad, la ayuda y cooperación que puedan serle útiles.

Todo alteración en este pasaporte implica su invalidez.

4 ¡Qué diferencia hacen veinte años!

En un café, dos señoras elegantes, doña Emilia y doña María, están tomando chocolate. Tienen unos cuarenta años, más o menos. Las dos mujeres son ex alumnas de la Universidad de Salamanca de donde se graduaron hace unos veinte años.

En otra mesa, un hombre con gafas está leyendo el periódico. Es calvo y tiene bigotes. Se puede ver que es un poco gordo.

Doña Emilia observa atentamente al hombre. De repente se acuerda quién es. ¡Eduardo Fuentes, el ex capitán del equipo universitario de fútbol! Ella le pregunta a su amiga si puede reconocerlo. Doña María le contesta que no. Cuando doña Emilia le revela la identidad del hombre, le contesta que no puede ser.

Eduardo Fuentes era un joven alto, de pelo castaño y ondulado. Era tan guapo que todas las estudiantes estaban locamente enamoradas de él. Doña Emilia insiste. Por fin, doña María se da cuenta de que el hombre gordo es verdaderamente Eduardo Fuentes.

Imagínese el diálogo entre doña Emilia y doña María usando como modelo la Escena 2 de su libro (en las páginas 4–5).

_____

_____

_____

_____

_____

_____

_____

_____

_____

_____

_____

_____

_____

_____

❰ El español práctico ❱

1 La tarjeta de desembarque

Al llegar a España (o a otro país), los viajeros deben llenar (*fill out*) una tarjeta de desembarque. Llene la tarjeta con sus datos personales.

> **TARJETA DE DESEMBARQUE**
>
> Apellido: _____
>
> Nombre: _____
>
> Nacionalidad: _____
>
> Profesión: _____
>
> Fecha y lugar de nacimiento: _____
>
> Domicilio: _____

2 Sus nacionalidades

La tabla a la derecha presenta el cambio (*rate of exchange*) de varias divisas (*foreign currencies*). Use los adjetivos de nacionalidad mencionados en la tabla para dar la nacionalidad de las siguientes personas.

MODELO: El Sr. Eriksen vive en Oslo.

Es _noruego._

1. Mi abuela es de Viena. Es _____

_____

2. Olaf vive en Estocolmo (*Stockholm*).

Es _____

3. Mis primas son de Dublin. Son _____

_____

4. La Sra. van Houtten vive en Amsterdam.

Es _____

5. Tú eres de Bruselas (*Brussels*). Eres _____

_____

6. Birgit vive en Helsinki. Es _____

7. Emilie y Françoise viven en Ginebra (*Geneva*). Son _____

8. Mis primos viven en Melbourne. Son _____

Mercado de divisas

(26 de mayo de 1987)

DIVISAS		Comprador Pesetas	Vendedor Pesetas
100	chelines austriacos	994,401	996,890
1	corona danesa	18,583	18,629
1	corona noruega	18,810	18,857
1	corona sueca	19,971	20,021
1	dólar australiano	89,783	90,007
1	dólar canadiense	92,651	92,882
1	dólar EE UU	124,698	125,010
100	dracmas griegas	93,793	94,028
1	florín holandés	62,063	62,219
100	francos belgas	337,414	338,258
1	franco francés	20,917	20,969
1	franco suizo	85,135	85,349
1	libra esterlina	207,934	208,454
1	libra irlandesa	187,234	187,703
100	liras italianas	9,660	9,684
1	marco alemán	69,918	70,093
1	marco finlandés	28,726	28,798
100	escudos portugueses	89,518	89,742
100	yenes japoneses	88,332	88,553

Fuente: Banco de España

ORO PURO Y DIAMANTES INVERSIÓN **CIOD**

Pl. de Colón, 2.
Tel. 419 68 91/94.
Madrid

3 El club internacional

Los siguientes estudiantes son socios (members) del Club Internacional de su escuela. Descríbaselos a un amigo.

1. Osvaldo

_____

_____

_____

_____

_____

_____

2. Isabel

_____

_____

_____

_____

_____

_____

3. Roberto

_____

_____

_____

_____

_____

_____

4. Yo

_____

_____

_____

_____

_____

_____

4 La cita misteriosa

Un amigo le propone a Ud. que vaya a una discoteca con un(a) amigo(a) suyo(a) que Ud. no conoce. Hágale cinco preguntas sobre el(la) misterioso(a) amigo(a) con quien Ud. va a salir.

1. _____
2. _____
3. _____
4. _____
5. _____

5 Presentaciones

Ud. les presenta ciertas personas a otras. Prepare diálogos que correspondan a las siguientes situaciones.

A. Ud. le presenta su mejor amigo a su prima.

Usted: _____

Su mejor amigo: _____

Su prima: _____

B. Ud. le presenta el(la) profesor(a) a su vecino.

Usted: _____

Su profesor(a): _____

Su vecino: _____

6 A Ud. le toca

Imagínese que Ud. está pasando un año en España. Su prima va a visitarle para las vacaciones de primavera. Desafortunadamente, el día que ella va a llegar de los Estados Unidos, Ud. no puede ir a recogerla *(to pick her up)* al aeropuerto. Un amigo español le quiere ayudar y ofrece ir al aeropuerto por Ud. Descríbale a su prima detalladamente (edad, apariencia general, señas particulares, etc.).

_____
_____
_____
_____
_____
_____
_____
_____

Estructuras gramaticales

A. Los sustantivos

1 Singular y plural

Dé el plural o el singular de los siguientes sustantivos.

1. el ladrón   los _____
2. los peces   el _____
3. la cruz   las _____
4. el jardín   los _____
5. las imágenes   la _____

6. los camiones   el _____
7. el examen   los _____
8. los lápices   el _____
9. el martes   los _____
10. el mes   los _____

A. Los sustantivos (cont.)

B. Los adjetivos

2 Hombres y mujeres

Transforme las oraciones, cambiando los sustantivos, adjetivos y verbos según el modelo.

MODELO: La nueva contadora es trabajadora, competente y muy capaz (capable).

Los nuevos contadores son trabajadores, competentes y muy capaces.

1. El hermano mayor de Clara trabaja como modelo para una tienda de modas.

   Las _____

2. Las amigas irlandesas de Rodolfo son buenas artistas.

   El _____

3. El testigo del accidente es un turista alemán.

   La _____

4. La tercera alumna a la izquierda es una chica portuguesa.

   El _____

5. El rey del carnaval es un joven actor brasileño.

   Las _____

   _____

6. El hijo de la Sra. Ortiz es cortés y servicial. No es holgazán.

   Las _____

   _____

7. Jorge Luis Borges y Gabriel García Márquez son grandes escritores latinoamericanos.

   Gabriela Mistral _____

   _____

C. Los artículos definidos

3 ¿El artículo definido o no?

Complete las siguientes oraciones con el artículo definido cuando sea necesario.

1. En el colegio, _____ jóvenes españoles estudian _____ francés e
_____ inglés.

2. Durante _____ verano pasado, mis primos visitaron _____ México,
_____ Canadá y _____ Estados Unidos.

3. _____ señora Velázquez habla bien _____ portugués y mal
_____ italiano.

4. Hoy es _____ miércoles. Tengo una cita con _____ doctora Sánchez
_____ viernes.

5. _____ rey Juan Carlos está en _____ Perú en una visita oficial. Va a
regresar a _____ España _____ 15 de septiembre.

6. En _____ países latinoamericanos, _____ inflación es un problema
muy serio.

7. Al regresar a casa, _____ profesor Hernández se quitó _____ chaqueta
y se puso _____ pantuflas (slippers).

8. Cuando era niña, mi prima tenía _____ pelo rizado. Ahora tiene _____
pelo liso porque es _____ moda.

C. Los artículos definidos (cont.)

D. Los artículos indefinidos

4 ¿Cuál artículo?

Complete las siguientes oraciones con el artículo definido o indefinido pero
solamente (only) cuando sea necesario.

1. Adela es _____ estudiante en _____ universidad española. Estudia
biología porque quiere ser _____ médica.

2. Alonso es _____ dependiente cortés y servicial. Según la gerente, es _____
mejor dependiente de la tienda.

3. ¿Qué hora es? Es _____ una y cuarto. Tengo _____ cita con _____
profesora Jiménez en _____ media hora.

4. Cuando está en la oficina, _____ Sr. Ojeda siempre lleva _____ corbata.
Hoy, lleva _____ corbata azul que le regaló su hija para su cumpleaños.

5. El camarero lleva _____ taza de café y _____ sándwich en _____ mano derecha. En _____ mano izquierda, lleva _____ otra taza de café y _____ sándwich. ¡Qué _____ camarero más ágil!

6. Eduardo tiene solamente 15 años. Conduce _____ coche de su papá sin _____ carnet de conducir. ¡Qué _____ chico imprudente!

7. Por favor, señora, déme _____ kilo de papas y _____ medio kilo de arroz.

8. Tengo _____ papel pero no puedo escribir sin _____ lápiz. ¿Puede prestarme _____ otro lápiz, por favor?

E. Ser *y* estar

5 ¿Ser o estar?

Complete las siguientes oraciones con las formas apropiadas de **ser** o **estar**.

1. El coche que _____ enfrente de la farmacia _____ de mi amiga Dolores.

2. Hoy _____ domingo. Alicia _____ en la iglesia con su familia porque _____ católicos.

3. _____ las ocho y media y Carlos _____ todavía *(still)* en su cuarto. No va a _____ listo para la clase de las nueve. Verdaderamente, ¡este chico no _____ muy puntual!

4. La Sra. Martell tiene 75 años pero no parece tener más de 50 años. ¡_____ joven! Y siempre _____ de buen humor.

5. ¿Cuántos años tienes, Carlitos? ¡Diez años! ¡_____ joven pero, para tu edad, _____ muy grande!

6. La plaza de toros _____ en las afueras *(suburbs)*. _____ bastante grande. Hoy _____ llena de espectadores.

7. Felipe _____ enamorado de Carmen. _____ muy contento cuando _____ con ella.

8. Sí, sí, esta sopa _____ muy buena, pero . . . ¡_____ fría!

9. El Sr. Herrera _____ un hombre muy fuerte. Ahora, _____ flaco porque _____ a dieta.

10. ¡Los espectadores _____ aburridos porque la obra de teatro _____ sumamente aburrida!

6 Entrevistas

Imagínese que Ud. entrevista *(are interviewing)* a unas personas famosas del mundo hispano. Hágale por lo menos cinco preguntas a cada persona, usando **ser** o **estar**.

MODELO: Plácido Domingo, cantante de ópera

¿Es Ud. de México o de España?

¿Está nervioso cuando canta?

¿Está contento con el éxito° de su última ópera?   success

¿Es Ud. soltero?

¿Es Ud. millonario?

1

1. Julio Iglesias, cantante popular, estrella de la canción española

_____

_____

_____

_____

2. Guillermo Vilas, campeón de tenis

_____

_____

_____

_____

3. la reina Sofía, esposa del rey Juan Carlos de España

_____

_____

_____

_____

Una hija singular

Palabras claves

1 Complete las siguientes oraciones con las palabras apropiadas del vocabulario en la página 25 de su texto. Haga los cambios que sean necesarios.

1. Todos los pasajeros suben al _____ a la hora fija.

2. La playa está llena de _____.

3. Raúl siempre lleva dos _____ grandes cuando viaja.

4. La señora le compra una _____ a su hija.

5. Al final del _____ está la oficina del capitán.

6. ¡Qué tormenta más fuerte! ¡Mira el mar! Las _____ son enormes.

7. Damas y _____, escuchen al capitán.

8. El guardián del zoológico _____ los animales en las jaulas (*cages*).

9. Por favor, ¡no _____! ¡Presta atención a lo que haces!

Estructuras gramaticales

2 **Los sustantivos**

Lea el cuento otra vez y busque la forma singular o plural de los siguientes sustantivos.

1. línea 1:	los buques	el	_____
2. línea 2:	los salones	el	_____
3. línea 4:	los rincones	el	_____
4. línea 5:	las niñas	la	_____
5. línea 7:	el ojo	los	_____
6. línea 9:	los papás	el	_____
7. línea 15:	los diálogos	el	_____
8. línea 19:	la ballena	las	_____
9. línea 21:	el tiburón	los	_____
10. línea 26:	el animal	los	_____
11. línea 32:	los jóvenes	el	_____
12. línea 48:	los capitanes	el	_____
13. línea 52:	los criminales	el	_____
14. línea 71:	el botón	los	_____
15. línea 73:	los ventrílocuos	el	_____

3 Ser y estar

Complete las siguientes frases según el texto. Luego, indique el uso del verbo.

A. *ser:* physical traits
B. *ser:* profession, identity
C. *ser:* basic personality traits

D. *estar:* location
E. *estar:* physical condition subject to change
F. *estar:* + present participle *(Unidad 2)*
G. *estar:* + past participle *(Unidad 13)*

1. línea 6: _____ rubia, blanca y muy bonita. Uso: _____

2. línea 16: Sin duda _____ tímida. Uso: _____

3. línea 16: ¿O quizás _____ enferma? Uso: _____

4. línea 32: Ese joven me _____ mirando. Uso: _____

5. líneas 38–39: . . . su maleta, que _____ muy grande. Uso: _____

6. línea 52: _____ un criminal. Uso: _____

7. línea 56: ¡Quizás _____ ya muerta . . . ! Uso: _____

8. línea 64: Ahí _____ . . . Uso: _____

9. líneas 68–69: ¡Gioconda _____ una muñeca! Uso: _____

10. línea 73: _____ ventrílocuo. Uso: _____

11. líneas 76–77: _____ resuelto a no intervenir . . . Uso: _____

Expansión: Modismos, expresiones y otras palabras

(I) **a diario** *daily*
de pronto *suddenly*
por la noche *by night*

otra vez *again*
sin duda *without a doubt, doubtless*

(II) *to stop*   **detener** *to stop* (a person or thing)
¡Detenga a ese hombre!   *Stop that man!*

parar *to stop* (something); *to stop at a place*
¡Pare el coche aquí!   *Stop the car here!*

dejar de *to stop* (doing something)
Dejo de trabajar a la una.   *I stop working at one.*

a look   **una mirada** *a quick look* (at something or someone)
Me echó **una mirada** siniestra.   *He gave me a sinister look.*

una ojeada *a quick look* (at a book or magazine)
Le voy a dar **una ojeada** a ese artículo.   *I am going to give that article a quick look.*

4   Escriba el sinónimo de la expresión entre paréntesis.

1. _____ llegan miles de turistas.   (Todos los días)

2. Tengo que leer ese cuento _____.   (de nuevo)

3. _____ la gente sale a pasear.   (De noche)

4. _____ viene a la reunión.   (Es cierto que)

5. Dormía cuando _____ me despertó un ruido.   (de repente)

5   Complete las siguientes oraciones con la expresión que más convenga.

1. El policía acaba de _____ al ladrón.   (detener / parar)

2. El tren _____ cada dos horas.   (detiene / para)

3. ¿Cuándo vas a _____ hablar de esa forma?   (detener / dejar de)

4. ¿A qué hora _____ funcionar los bancos?   (paran / dejan de)

5. Nos vamos a _____ un rato en la playa.   (dejar / parar)

6   Dé el equivalente en español de las siguientes frases.

1. *She gave me a funny look.*

   Me echó una _____ extraña.

2. *He gave a quick look at the book.*

   Le dio una _____ al libro.

3. *The young man glanced quickly at the beautiful girl.*

   El joven le echó _____ a la chica bella.

4. *He quickly glanced through the paper.*

   Le echó una _____ rápidamente al periódico.

Unidad 2

Escenas de la vida

¡Qué tranquilidad!

1 **Comprensión del texto e interpretación personal**

Lea otra vez el texto en las páginas 32–35 de su libro y conteste las siguientes preguntas.

1. Según Ud., ¿por qué hay tanto ruido en el edificio de apartamentos?

2. ¿Qué tipo de aparatos eléctricos usan el Sr. Calvo y la Srta. Vela? ¿Para qué los usan?

3. Según Ud., ¿qué tipo de persona es la Srta. Vela?

4. ¿Por qué no se desayuna la Sra. Rivas?

5. ¿Por qué no le molesta *(bothers)* el ruido al Sr. Cordero?

6. Según Ud., ¿cuáles son las ventajas y los inconvenientes de vivir en un edificio de apartamentos?

2 Una carta de reclamación

Haga el papel de uno(a) de los inquilinos (tenants) y escríbale al dueño (landlord) del edificio de apartamentos para quejarse (to complain) del ruido. En su carta, el(la) inquilino(a) menciona ejemplos específicos del problema. Complete la carta.

Buenos Aires, el 2 de septiembre de 198___

Estimado señor,

Le escribo para advertirlo° de un problema particularmente molesto°.   to advise you / bothersome
El ruido que hacen los inquilinos del edificio del cual Ud. es
propietario y en el que alquilo un apartamento se hace cada día más
insoportable°.   unbearable

_____

_____

_____

_____

_____

_____

_____

_____

_____

_____

_____

_____

_____

_____

Le agradezco su pronta atención a este asunto.

Muy atentamente,

---

1 ¿Para qué?

Describa lo que hacen las siguientes personas con los objetos representados en los dibujos.

MODELO:

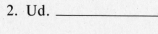

Miguel *se lava las manos con el jabón.*
Se lava la cara con el jabón.
Usa el jabón para ducharse.

1. Yo _____

_____

_____

_____

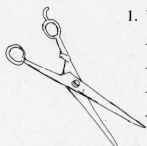

2. Ud. _____

_____

_____

_____

3. Adela _____

_____

_____

_____

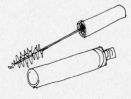

4. Tú _____

_____

_____

_____

2 El arreglo

Mire los dibujos atentamente y conteste las preguntas.

1. ¿Dónde ocurre la escena? _____
   _____
   _____

2. ¿Qué hace Carlitos? _____
   _____

3. ¿Qué usa? _____
   _____
   _____

4. ¿Qué hace el papá de Carlitos? _____
   _____
   _____

5. ¿Qué usa? _____
   _____
   _____
   _____

6. ¿Qué hace doña Carlota? _____
   _____
   _____

7. ¿Qué cosméticos y objetos usa? _____
   _____
   _____

8. ¿En qué se mira? _____
   _____
   _____

9. Según Ud., ¿por qué se maquilla doña
   Carlota? _____
   _____
   _____

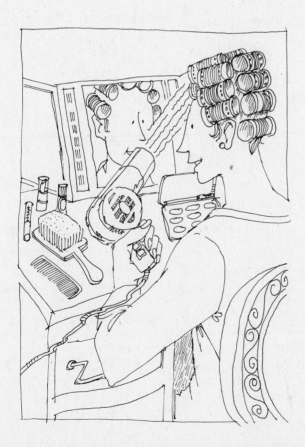

10. ¿Qué productos de belleza se venden en la perfumería? _____
_____
_____

11. ¿Para qué se usa cada producto? _____
_____
_____

12. ¿Qué compra el Sr. Martínez? _____
_____
_____
_____

13. Según Ud., ¿para quién compra eso? _____
_____
_____
_____

14. ¿Qué acaba de hacer María Cristina? _____
_____

15. ¿Qué está haciendo ahora? _____
_____
_____

16. ¿Qué usa? _____
_____
_____
_____

17. ¿Qué va a hacer después? _____
_____
_____

18. Según Ud., ¿para qué se arregla María Cristina? _____
_____
_____
_____

3 ¡Siempre hay una razón!

Complete las siguientes oraciones con los verbos reflexivos apropiados del *Vocabulario temático* en la página 40 de su texto.

1. Yo _____ en la silla porque estoy cansado.

2. La Sra. Mateos _____ porque no quiere perder el tren.

3. Felipe _____ en cama porque tiene bronquitis.

4. Anita _____ delante de la vitrina *(store window)* para mirar

   los vestidos nuevos.

5. Nosotros _____ a la chimenea *(fireplace)* para

   calentarnos *(to get warm)*.

6. Los empleados _____ de la oficina porque son las seis de la tarde.

7. Paco se ha escondido detrás del árbol. No _____ porque

   no quiere que sus compañeros lo encuentren.

8. Esos turistas tímidos no _____ del hotel porque no quieren

   perderse en la ciudad.

4 A Ud. le toca

You are on a crowded bus in Mexico City.

1. *Ask an older woman if she wants to sit down.*

   _____

   _____

2. *Ask a friend if you are approaching the Paseo de la Reforma.*

   _____

   _____

3. *Ask a passenger if he can move a little bit because you are getting off* (bajarse).

   _____

   _____

Estructuras gramaticales

A. Verbos con cambios en el radical

1 ¿Cuál verbo?

Complete lógicamente las siguientes oraciones usando los verbos de la lista.

cerrar	encender	pedir	seguir	sonreír
costar	mentir	recordar	servir	soñar
empezar	oler	repetir	sonar	

1. Los empleados _____ el trabajo a las nueve.

2. Cuando los estudiantes no comprenden, el profesor _____ la pregunta.

3. Ese perfume _____ muy bien.

4. El bebé le _____ a su mamá.

5. Este retrato _____ 100.000 pesetas.

6. ¡Rin, rin! _____ el teléfono. ¿Puedes contestarlo, por favor?

7. Tengo una buena memoria. _____ todo.

8. Diego _____ con sacarse el gordo. ¡Qué optimista!

9. Soy buen estudiante. Siempre _____ los consejos de mis profesores.

10. ¿Por qué _____ la ventana? ¿Tienes frío?

11. Yo no _____. Siempre digo la verdad.

12. El camarero _____ el café.

13. Cuando estamos en un restaurante mexicano, siempre _____ tacos y enchiladas.

14. Felipe _____ la radio para escuchar las noticias.

Mercedes-Benz L-1313
¡EL MEJOR CAMION NO CUESTA MAS!
EM EUROPA MOTORS COMPANY, S. A.

B. Las construcciones ir a y acabar de + *infinitivo*

2 ¿Ir a o acabar de?

Según el caso, complete las siguientes oraciones con las formas apropiadas de **ir a** o **acabar de**.

MODELO: Pedro no está en casa. ___*Acaba de*___ salir.

1. Mis vecinos ya no viven aquí. _____ mudarse *(to move)*.

2. Necesitamos comprar cheques viajeros. _____ ir al banco.

3. Tengo el pelo mojado *(wet)*. _____ tomar un baño.

4. Uds. se sienten muy cansados. _____ acostarse.

5. Ahora hablas español muy bien porque _____ pasar un año en México.

6. Necesito una curita *(band-aid)*. _____ cortarme la mano.

7. Tienes mucha hambre. _____ desayunarte.

8. Ud. no oye bien a la profesora. _____ acercarse a ella.

C. La construcción infinitiva

3 El trabajo

Explique lo que hacen las siguientes personas. Para hacer esto, complete las oraciones usando la construcción infinitiva con el verbo entre paréntesis y el verbo en cursiva.

MODELO: El mecánico *arregla* el coche. (tratar)
   ___*Trata de arreglar*___ el carburador.

1. Los obreros *trabajan*. (empezar)

   _____ a las ocho de la mañana.

2. La Sra. Fiestas *programa*. (enseñar)

   Le _____ a su asistente.

3. Los estudiantes *hablan* español. (aprender)

   _____ español en el laboratorio de lenguas.

4. *Trabajas* en una oficina. (dejar)

   ¿A qué hora _____?

5. La gerente *escribe* a máquina. (insistir)

   _____ sus cartas ella misma *(by herself)*.

6. El Sr. Ordóñez le *pide* consejos a su jefe. (vacilar)

   _____ un aumento de sueldo *(raise)*.

7. *Soy* el asistente del gerente. (soñar)

   _____ el presidente de la compañía.

D. Los verbos reflexivos

4 ¿Qué verbo reflexivo?

Lea las siguientes oraciones y complétalas con los verbos reflexivos de la lista.
¡Sea lógico(a)!

acordarse [ue]	**darse cuenta**	**enojarse**	**olvidarse**
aburrirse	**despedirse** [i]	**equivocarse**	**preocuparse**
alegrarse	**divertirse** [ie]	**mudarse**	**quejarse**
callarse	**enfadarse**	**negarse** [ie]	**reunirse**

1. Los vecinos acaban de comprar una casa en el campo. _____ de
   aquí en una semana.

2. El profesor no está satisfecho con el progreso de los estudiantes. _____
   mucho de ellos, diciendo que son perezosos.

3. Antes de subir al tren, Emilio _____ de los amigos que lo acompañaron
   a la estación.

4. ¡No dices nada! ¿Por qué _____?

5. No, señor, no soy la persona que Ud. está buscando. ¡Ud. _____!

6. ¡Qué mala memoria tengo! Siempre _____ de la fecha de
   tu cumpleaños.

7. En la fiesta, los amigos cantan y bailan. Todos _____ mucho.

8. Veo a mis amigos todos los fines de semana. Nosotros _____ en
   el club para charlar y jugar al ajedrez (chess).

9. Clara no quiere a Antonio. _____ a salir con él.

10. Felipe ha invitado a su novia a cenar en un restaurante. Al momento de pagar la
    cuenta, el pobre chico _____ de que no tiene su billetera (wallet).
    ¡Ay! ¡Qué vergüenza!

11. Sí, sí, yo _____ de tu prima. Es una chica morena que se llama
    Dolores, ¿verdad?

12. Si no regresas a tu casa antes de las dos de la mañana, tus padres van a
    _____. Son muy ansiosos, ¿sabes?

13. ¿Por qué _____ tanto los estudiantes? ¡Es que la clase es muy
    monótona y poco interesante!

14. ¡Ud. acaba de sacarse el gordo! ¡Qué bueno! ¡Nosotros _____
    mucho por Ud.!

E. El uso impersonal del pronombre reflexivo se

5 Un poco de geografía

Conteste las siguientes preguntas usando la construcción reflexiva en oraciones afirmativas o negativas.

MODELO: ¿Cultivan café en Colombia?

Sí, se cultiva café en Colombia.

1. ¿Comen carne de res (*beef*) en la Argentina?

2. ¿Hablan español en el Brasil?

3. ¿Sirven platos picantes en México?

4. ¿Producen mucho petróleo en Venezuela?

5. ¿Tocan música flamenca en Sevilla?

6. ¿Fabrican (*Do they manufacture*) coches en España?

BANCO NACIONAL DE LA VIVIENDA.

F. El participio presente y la construcción progresiva

6 El participio presente

Escriba el participio presente de los siguientes verbos.

BANVI

Trabajando <u>todos</u> para el desarrollo de TODOS.

1. pensar
2. mentir
3. leer
4. pedir
5. poder
6. dormir
7. venir
8. servir
9. oír
10. ir
11. traer
12. destruir

7   ¿Qué están haciendo?

Diga lo que están haciendo las siguientes personas, usando la construcción progresiva y su imaginación. Para cada persona, escriba por lo menos tres oraciones.

1. Las actrices están en su camerino (*dressing room*).

   _____
   _____
   _____
   _____

2. Estamos en la biblioteca.

   _____
   _____
   _____
   _____
   _____

3. Estoy en mi cuarto.

   _____
   _____
   _____
   _____
   _____

4. La Sra. Montero está en su oficina.

   _____
   _____
   _____
   _____

5. Estás con tus amigos.

   _____
   _____
   _____
   _____

Lecturas literarias

No hay que complicar la felicidad

Palabras claves

1 Complete las siguientes oraciones con las palabras apropiadas del vocabulario en la página 57 de su texto. Haga los cambios que sean necesarios.

1. Era la medianoche cuando oyó el _____ de un arma de fuego.

2. Cuando llegó la ambulancia el hombre estaba _____.

3. El hermano mayor siente _____ de su hermano menor.

4. Los invitados les deseaban mucha _____ a los novios.

5. Juanito _____ a sus padres antes de ir a acostarse.

6. El hombre enojado toma la pistola con la intención de _____ al amante de ella.

7. Tiene tantos _____ que no deja a su marido solo por un instante.

Estructuras gramaticales

2 **Verbos con cambios en el radical**

Complete las siguientes frases según el texto. Luego escriba el infinitivo que corresponda.

MODELO: línea 3: _Vuelven_ a besarse.   infinitivo: _volver_

1. línea 20: Él la _____.   infinitivo: _____
2. línea 27: _____ a sentarse.   infinitivo: _____
3. línea 29: _____ celos.   infinitivo: _____
4. línea 35: _____ un revólver.   infinitivo: _____
5. línea 37: ella _____.   infinitivo: _____
6. línea 49: _____ . . . el telón.   infinitivo: _____

26 **Lecturas literarias**

© D.C. Heath and Company. All rights reserved.

3 Frases con el pronombre *se*

Complete las siguientes frases según el texto. Indique el uso de la construcción con *se* y escriba el equivalente en inglés de esta frase.

Uso: **A.** verbo reflexivo: movimiento físico
      B. verbo reflexivo: acción recíproca
      C. *se* impersonal: pasivo

MODELO: línea 18: Ella *se levanta*...   Uso: *a*
_____

1. línea 3: Vuelven a _____.   Uso: _____
_____

2. línea 9: Él _____ violentamente _____.   Uso: _____
_____

3. línea 18: Ella ... _____ unos pasos.   Uso: _____
_____

4. línea 27: Vuelve a _____.   Uso: _____
_____

5. línea 28: Él _____.   Uso: _____
_____

6. línea 37: _____ el disparo de un arma de fuego.   Uso: _____
_____

7. línea 46: _____, lejos, el grito ... de Ella. Uso: _____
_____

Mejore su español

4 Complete las siguientes oraciones con la expresión que más convenga.

1. El hombre quiere _____ el   (adivinar / fingir)
   pensamiento de su amante.

2. Necesita _____ dos días en cama.   (permanecer / desaparecer)

3. Papá quisiera _____ trabajar a los   (dejar de / volver a)
   sesenta y cinco años.

4. Los exploradores españoles _____   (van en busca de / vuelven a)
   los tesoros de los aztecas.

5. Pensamos _____ visitar esa linda   (volver a / fingir)
   región.

6. El alumno _____ para hablar con   (desaparece / se pone de pie)
   el director.

7. Ellos _____ ser generosos pero no   (aparentan / permanecen)
   lo son.

8. La actriz _____ lo que no siente.   (finge / deja de)

Unidad 2 **27**

Expansión: Modismos, expresiones y otras palabras

(I)   **estar muerto(a) de celos**   *to be dying of jealousy*
       estar muerto(a) de cansancio   *to be dead tired*
       estar muerto(a) de frío   *to be freezing (frozen) to death*
       estar muerto(a) de hambre   *to be starving to death*
       estar muerto(a) de miedo   *to be scared to death*

(II)   *to love*   **querer**   *to love* (general term)
                       Quiero a mis hijos.   *I **love** my children.*

                      amar   *to love* (deeply)
                       Amo a otro.   *I **deeply love** someone else.*

     to remain   **permanecer**   *to remain* (in a certain state)
                      La escena **permanece** vacía.   *The stage **remains** empty.*

                      quedar   *to remain = to be left*
                      Quedan cinco minutos.   *There are five minutes **left**.*

                      quedarse   *to remain or stay behind* (in a certain place)
                      Al **quedarse** sola, ella ríe.   ***Remaining** alone, she laughs.*

---

5   Escriba la expresión que más convenga.

1. Temen la oscuridad y ahora están _____.

2. Trabajó tanto que ahora está _____.

3. El novio de Adela fue al cine con otra chica y ahora Adela está _____.

4. No ha comido nada y está _____.

5. Como no tenía abrigo, el pobre chico estaba _____.

6   Dé el equivalente en español de las siguientes frases.

1. *Alberto deeply loves another woman.*

    Alberto _____ a otra joven.

2. *The grandmother loves her grandchildren.*

    La abuela _____ a sus nietos.

3. *There remain only five unoccupied seats.*

    _____ sólo cinco asientos libres.

4. *I do not want to go to the movies. I prefer to stay home.*

    No quiero ir al cine. Prefiero _____ en casa.

5. *The patient remains in critical condition.*

    El enfermo _____ en condición grave.

Unidad 3

◖ Escenas de la vida ◗

¡No hay justicia!

1 Comprensión del texto e interpretación personal

Lea otra vez el texto en las páginas 62–64 de su libro y conteste las siguientes preguntas.

1. Según Ud., ¿qué tipo de persona es el Sr. Gómez?

_____

_____

_____

_____

2. Según Ud., ¿qué tipo de persona es la Sra. de Gómez?

_____

_____

_____

_____

3. Según Ud., ¿es la Sra. de Gómez una mujer moderna típica? ¿Por qué o por qué no? Explique su respuesta.

_____

_____

_____

_____

4. Según Ud., ¿es el Sr. Gómez un empleado *(employee)* modelo? ¿Por qué o por qué no? Explique su respuesta.

_____

_____

_____

_____

_____

5. Según Ud., ¿son los Gómez una pareja *(couple)* moderna típica? Explique su respuesta.

_____

_____

_____

_____

_____

2 La situación cambia

Ahora imagínese otra situación totalmente diferente. La Sra. de Gómez es la que trabaja como subgerente del Banco Nacional. El Sr. Gómez, por otra parte, se queda en casa y se encarga *(takes charge)* de los quehaceres domésticos. Aunque *(Although)* los papeles *(roles)* han cambiado *(have changed)*, la personalidad del señor y la de la señora permanecen iguales. En su trabajo, la señora es muy seria y trabajadora. En casa, el señor es un poco perezoso y desorganizado. Describa un día típico en la vida de la Sra. de Gómez y de su esposo.

El día de la Sra. de Gómez

A las siete de la mañana _____

_____

_____

_____

_____

_____

_____

_____

_____

_____

_____

El día del Sr. Gómez

_____

_____

_____

_____

_____

_____

_____

_____

_____

_____

_____

《 El español práctico 》

1 Todos ayudan

En la familia Ruiz, todo el mundo ayuda. Describa lo que hace cada uno, completando las siguientes oraciones con la forma apropiada de uno de los verbos entre paréntesis.

1. Por la mañana, la niña _____ su cama.
   (fregar, tender, colgar)

2. Luis Fernando _____ las papas con un cuchillo.
   (recoger, quitar el polvo de, pelar)

3. Tú _____ el pan.
   (cortar, pelar, planchar)

4. Raúl _____ la mesa con un trapo.
   (arreglar, limpiar, poner)

5. Después de cenar, nosotros _____ la mesa.
   (recoger, poner, preparar)

6. Después de la cena, papá tiene que _____ los
   platos. (barrer, regar, fregar)

7. Alfonso _____ el cesto de basura.
   (vaciar, limpiar, barrer)

8. Yo _____ la basura a la calle.
   (regar, recoger, sacar)

9. Ud. _____ las camisas con la plancha.
   (planchar, lavar, colocar)

10. Yo _____ los libros en los estantes.
    (tender, colocar, lavar)

LO QUE REALMENTE
PLANCHA ES EL CALOR.
Por eso las nuevas planchas
SHIMASU son super livianas.

NUEVA
plancha

SHIMASU

La produce
INCELT
10 AÑOS
ESFERA

porque... sabe y puede.

                                    Unidad 3   **31**

2 Un sábado por la tarde

Describa lo que hacen las personas del dibujo (y, si es posible, indique el objeto que están usando).

MODELO: La Sra. Alonso *limpia su coche. Usa una manguera.*

1. Ricardo _____
2. Isabel _____
3. Elena _____
4. El Sr. Alonso _____
5. El abuelo _____
6. La abuela _____
7. El Sr. Castro _____

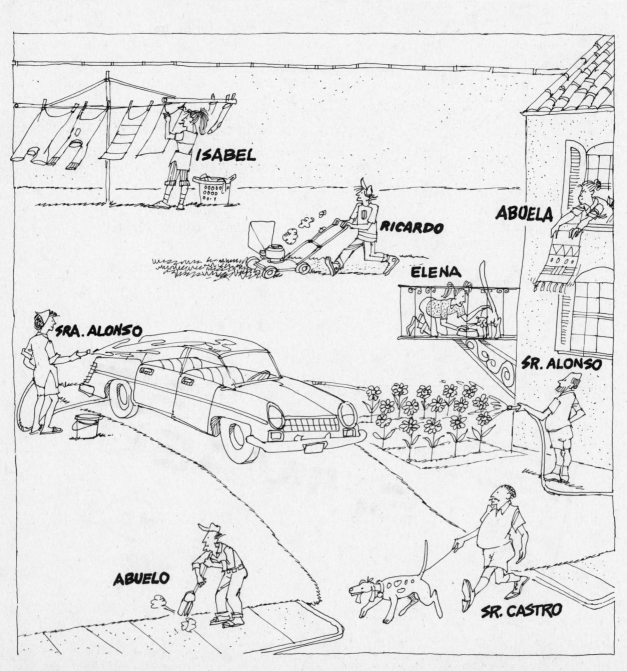

3 ¿Qué dicen?

Las siguientes personas hablan con otras. Complete lo que dicen.

MODELO: La Sra. Centeno a su hijo Paco:

"Paco, tu dormitorio está muy desarreglado. Debes _tender la cama, pasar la aspiradora y colgar la ropa_".

1. La Sra. Bermeo a su hija Marta:

   "Tenemos invitados para la cena. ¿Puedes ayudarme a _____

   _____?"

2. El Sr. Andrade a su hijo Gustavo:

   "El basurero (*garbage collector*) va a pasar mañana por la mañana. Antes de acostarte,

   no te olvides de _____".

3. La Sra. Canales a su esposo:

   "Mira, nuestro jardín se ve muy mal. ¡Es un verdadero desastre! Este fin de semana

   debes _____".

4. El Sr. Lamas a sus hijos:

   "Tu mamá y yo vamos a pasar una semana en Puerto Vallarta. Durante nuestra

   ausencia, ¿pueden _____?"

5. La Sra. Leonor Bastidas, dueña del restaurante "Sabroso", al asistente de cocina:

   "El cocinero tiene mucho que hacer. ¡Ayúdele a _____!"

6. La gerente del hotel a las camareras (*chambermaids*):

   "Las habitaciones deben estar listas para las dos. Uds. deben _____

   _____".

4 El robot doméstico

Imagínese que Ud. ha inventado un robot doméstico. En la exposición de ventas de electrodomésticos, presenta su invención por primera vez. Explíqueles a sus futuros clientes todo lo que puede hacer esta maravillosa máquina.

   "Damas y caballeros, acérquense, acérquense . . . Vengan a ver el maravilloso robot

que se ha inventado para facilitarles los quehaceres domésticos. _____

_____

_____

_____

_____

_____

_____

_____

_____ ,"

5 ¡Un millón de excusas!

Marta le pide a Guillermo que haga ciertas cosas. Guillermo inventa excusas para no hacerlas. Mire los dibujos y prepare diálogos usando su imaginación.

MODELO:

Marta: _Guillermo, ¿podrías ayudarme a planchar las camisas?_

Guillermo: _Mira, me gustaría mucho, pero tengo que estudiar._

1. Marta: _____

_____

_____

_____

Guillermo: _____

_____

_____

_____

_____

2. Marta: _____

_____

_____

_____

Guillermo: _____

_____

_____

_____

_____

3. Marta: _____

_____

_____

_____

Guillermo: _____

_____

_____

_____

_____

34 El español práctico

▌ *Estructuras gramaticales* ▌

A. *El concepto del subjuntivo*
B. *El presente del subjuntivo: formas regulares*

▌*1*▌ ¿Indicativo o subjuntivo?

Complete las siguientes oraciones con el presente del indicativo o del subjuntivo del verbo **hablar**.

1. Ud. _____ alemán, ¿verdad?

2. El profesor insiste en que los estudiantes _____ en clase.

3. Los espectadores dicen que el conferenciante *(lecturer)* _____ bien.

4. Sugerimos que tú _____ menos.

5. ¿Por qué _____ Ud. en voz tan alta?

6. La exploradora _____ de sus aventuras en la selva *(forest)* tropical.

7. Mis padres desean que yo les _____ de mis planes profesionales.

8. Es importante que Uds. _____ con el gerente.

9. Sabemos que Ud. _____ muy bien el español.

▌*2*▌ El subjuntivo, ¡por favor!

Para los verbos siguientes, dé las formas indicadas del presente del subjuntivo.

Es importante . . .

1. (sacar)   . . . que yo _____ las latas de basura.

2. (encender)   . . . que Luis _____ el radio.

3. (servir)   . . . que el camarero _____ el café.

4. (pagar)   . . . que los clientes _____ la cuenta.

5. (seguir)   . . . que Uds. _____ sus investigaciones *(research)*.

6. (almorzar)   . . . que Uds. _____ con nosotros.

7. (poner)   . . . que tú _____ la mesa.

8. (traer)   . . . que Ud. _____ el menú.

9. (construir)   . . . que los arquitectos _____ casas bonitas y cómodas.

10. (hacer)   . . . que la camarera _____ las camas.

11. (recoger)   . . . que nosotros _____ la mesa.

12. (conducir)   . . . que yo _____ con cuidado.

13. (dormir)   . . . que nosotros _____ bien.

3 No . . . pero . . .

Las siguientes personas no quieren hacer ciertas cosas pero otras personas insisten en que las hagan. Exprese esto, usando su imaginación.

MODELOS: No queremos *estudiar* pero el profesor insiste en que *estudiemos.*

No queremos *aprender los verbos* pero el profesor insiste en que *aprendamos los verbos.*

1. Elena no quiere _____ pero su mamá insiste en que _____ .

2. Yo no quiero _____ pero mis padres insisten en que _____ .

3. Los empleados no quieren _____ pero su jefe insiste en que _____ .

4. El burro no quiere _____ pero el campesino *(farmer)* insiste en que _____ .

5. Ud. no quiere _____ pero el médico insiste en que _____ .

6. No queremos _____ pero el(la) director(a) del colegio insiste en que _____ .

C. El uso del subjuntivo: la voluntad

4 Reacciones

Lea lo que hacen las siguientes personas. Exprese las reacciones de las otras personas usando la forma afirmativa o negativa del subjuntivo.

MODELO: Hacemos ruido.

Los vecinos insisten en que *no hagamos ruido* .

1. La camarera hace la cama.

   La cliente quiere que _____ .

2. Los empleados llegan a la oficina con retraso *(late)*.

   La jefa prefiere que _____ .

3. Los testigos dicen la verdad.

   El juez *(judge)* exige que _____ .

4. Los dependientes se equivocan con el precio de los productos.

   La contadora insiste en que _____ .

5. Su esposo ayuda con los quehaceres domésticos.

   La Sra. Chávez prefiere que _____ .

6. Ud. pierde el tiempo.

   El jefe exige que _____ .

7. Pago mis deudas *(debts)*.

   Mis amigos quieren que _____ .

8. Alberto sale con otras chicas.

   Su novia prefiere que _____ .

5 Por favor

Ciertas personas esperan que otras personas hagan ciertas cosas. Exprese esto, usando el pronombre **le** o **les** según el caso.

MODELO: el camarero / recomendar / los clientes / probar las especialidades regionales

El camarero les recomienda a los clientes que prueben las especialidades regionales.

1. El Sr. Ojeda / permitir / sus hijos / tomar el coche

_____

2. La Dra. Ruiz / aconsejar / su paciente / ponerse a dieta

_____
_____

3. la jefa / mandar / los empleados / charlar menos y trabajar más

_____
_____

4. Carmen / prohibir / su prima / contar el secreto

_____
_____

5. La Sra. Mena / sugerir / su marido / lavarse y secarse las camisas él mismo

_____
_____

6. el cocinero / pedir / sus auxiliares / fregar los platos

_____
_____

7. la entrenadora (*coach*) / recomendar / las jugadoras / practicar todos los días

_____
_____

8. Silvia / rogar / su novio / llegar a tiempo a la cita

_____
_____

D. Los subjuntivos irregulares

6 ¿Por qué?

Cuando hacemos ciertas cosas, a menudo es porque otras personas quieren que las hagamos. Exprese esto según el modelo, usando los verbos entre paréntesis.

MODELO: (ir) Nosotros _vamos_ al laboratorio.

El profesor insiste en que _vayamos al laboratorio_.

1. (ser) Esos niños _____ corteses.

   Sus padres exigen que _____.

2. (saber) El asistente _____ programar.

   Su jefa desea que _____.

3. (estar) Nosotros _____ de buen humor.

   Nuestras amigas prefieren que _____.

4. (ir) Tú _____ a la discoteca.

   Tu novia insiste en que _____.

5. (dar) El turista _____ un paseo por la Plaza Mayor.

   La guía le sugiere que _____.

6. (estar) Yo _____ en casa temprano.

   Mis padres quieren que _____.

7. (dar) Tú le _____ una propina al camarero.

   Tus amigos te piden que le _____.

8. (ir) Nosotros _____ al teatro esta tarde.

   La profesora nos aconseja que _____.

E. El subjuntivo después de expresiones impersonales

7 Lo importante

Lea lo que quieren hacer las siguientes personas. Luego, escriba lo que tienen que hacer usando la construcción **es importante que** + *el subjuntivo*, y también su imaginación.

MODELO: Uds. quieren aprender bien el español. *Es importante que hagan la tarea (que vayan a México, que conozcan a estudiantes hispanos, que estudien más, etc.).*

1. Cristina quiere organizar una fiesta.

   _____

2. Quiero ganar dinero durante las vacaciones.

   _____

3. El Sr. Peña quiere ponerse en forma *(shape)*.

   _____

4. Queremos pasar vacaciones agradables y económicas.

   _____

5. Tú quieres ser médico(a).

   _____

6. Uds. quieren pasar un fin de semana estupendo.

   _____

8 La entrevista profesional

Los siguientes estudiantes van a una entrevista profesional. Exprese su opinión sobre lo que hacen, usando las expresiones del *Vocabulario* que aparecen en la página 82 de su texto.

MODELO: Elena se viste bien.
   Es necesario que se vista bien.

1. Uds. se callan durante la entrevista.

   _____

2. Ricardo le trae flores a la secretaria del presidente.

   _____

3. Muestro mis cartas de recomendación.

   _____

4. Insistes en ganar un buen sueldo.

   _____

5. Somos corteses y atentos.

   _____

6. Clara llama al gerente por su nombre de pila *(first name)*.

   _____

El arco de Balam-Acab

Palabras claves

1 Complete las siguientes oraciones con las palabras apropiadas de los vocabularios en las páginas 84 y 88 de su texto. Haga los cambios que sean necesarios.

[I] 1. El jefe religioso del pueblo es el _____.

2. Los _____ se preparaban para luchar.

3. Por falta de lluvia, la _____ se hacía más aguda (*acute*).

4. El hombre extraño estaba sentado en un _____.

5. ¿Qué pasa? No sale ni una _____ de agua de ese grifo.

6. Nadie del pueblo logra _____ el arco.

7. Parece que las nubes van a _____ el agua.

8. El beisbolista _____ la pelota con fuerza.

[II] 9. Dicen que el quetzal es un pájaro de _____ bellas.

10. Por favor, vuelve a leerlo en _____ alta.

11. El hombre llevaba todas sus posesiones en un _____.

12. Al lado de la calabaza había una _____ de agua.

13. El pueblo _____ por la falta de lluvia.

14. La fuerza de Balam-Acab es una _____ que es uno de los cuatro guerreros legendarios.

15. Después de la tempestad, un _____ apareció en el cielo.

16. En el _____ de su corazón ella sabía que él la amaba.

17. Ese artista _____ de vez en cuando en una película romántica.

Estructuras gramaticales

2 El uso del subjuntivo: expresiones de voluntad

Complete las siguientes frases según el texto usando el verbo apropiado en el subjuntivo. Luego escriba el infinitivo.

MODELO: I, línea 10: ordena a sus hombres que _*corten*_ los árboles

infinitivo: _*cortar*_

1. I, líneas 6–7: le ruegan al Dios . . . que les _____ agua

   infinitivo: _____

2. I, líneas 10–11: ordena a sus hombres . . . que _____ una gran hoguera

   infinitivo: _____

3. I, líneas 21–22: queremos que las dos nubes calabazas _____ y

   _____ el agua

   infinitivos: _____ _____

4. I, líneas 26–27: el cacique . . . ordena a sus guerreros que _____ al templo

   infinitivo: _____

5. I, línea 27: [el cacique les ordena] . . . que _____ el antiguo arco

   infinitivo: _____

6. I, línea 40: La multitud . . . le pide que _____ el arco

   infinitivo: _____

3 ¿Infinitivo o subjuntivo?

Complete las siguientes frases según el texto usando el infinitivo apropiado. Luego complete la segunda frase con la forma del subjuntivo que corresponda.

MODELO: I, línea 24: Es necesario _*romper*_ el vientre de las calabazas . . .

Es necesario que los guerreros _*rompan*_ el vientre de las calabazas.

1. II, líneas 12–13: Quiero _____ [a la doncella] por esposa. *(el extranjero)*

   Queremos que tú _____ a la doncella por esposa. *(el cacique)*

2. II, línea 28: ¿Quieres en realidad _____ mi esposa . . . ? *(la voz)*

   Quiero que tú _____ mi esposa. *(la voz)*

3. II, línea 32: Quiero _____ contigo . . . *(la doncella)*

   El extranjero quiere que su esposa _____ con él.

4. II, línea 35: ¿Quieres _____ quién soy? *(el extranjero)*

   El extranjero quiere que su esposa _____ quién es.

Expansión: Modismos, expresiones y otras palabras

(I) **ni siquiera**   *not even*   **rumbo a**   *heading for, bound for*
   por todas partes   *everywhere*   **sin esfuerzo**   *effortlessly*

(II) *to give*   **dar**   *to give* (general term)
                 Te **damos** cinco plumas.   *We are giving you five feathers.*

              regalar   *to give* (as a present)
                 Te vamos a **regalar** un campo.   *We are going to give you a field.*

              pasar   *to give, pass, hand over*
                 Le **pasan** las dos flechas.   *They give him the two arrows.*

   strange,   **extraño**   *strange, unusual, unexpected*
   stranger   Mira al hombre **extraño**.   *She looks at the strange man.*

              extranjero   *stranger, foreigner*
                 Encuentra a un **extranjero**.   *She meets a stranger.*

              desconocido   *strange, unknown*
                 Vino de una tierra **desconocida**.   *He came from a strange land.*

4 Escriba el sinónimo de la expresión entre paréntesis.

1. Iba _____ la montaña.   (con destino a)
2. Tiró la flecha _____.   (fácilmente)
3. _____ me reconoció.   (Casi no)
4. Buscó su reloj _____.   (por todos lados)

5 Dé el equivalente en español de las siguientes frases.

1. *For his birthday his father gave him a bicycle.*

   Para su cumpleaños su padre le _____ una bicicleta.

2. *Please give me the two books from that shelf.*

   Haga el favor de _____me los dos libros de ese estante.

3. *Nobody knows who the strange man is.*

   Nadie sabe quien es el hombre _____.

4. *The foreigner comes from an unknown land.*

   El _____ viene de una tierra _____.

5. *How unusual! I just received a call from Miguel.*

   ¡Qué _____! Acabo de recibir una llamada de Miguel.

Unidad 4

Escenas de la vida

Unas huellas misteriosas

1 **Comprensión del texto e interpretación personal**

Lea otra vez el texto en las páginas 92–94 de su libro y conteste las siguientes preguntas.

1. Según Ud., ¿qué tipo de personalidad tiene Luis Vigilante?

_____

_____

_____

2. ¿Por qué representa el descubrimiento de las huellas misteriosas la gran oportunidad de su vida?

_____

_____

_____

3. ¿Por qué saca su pistola? ¿A quién piensa encontrar en el techo de su casa?

_____

_____

_____

4. ¿Cómo reacciona el hombre que está en el techo?

_____

_____

_____

_____

5. ¿Por qué le da la billetera a Luis Vigilante?

_____

_____

_____

_____

6. Según Ud., ¿cómo va a terminar la escena?

_____

_____

_____

_____

2 Otra aventura de Luis Vigilante

Explique lo que ocurre en cada dibujo en un párrafo de 3 a 5 oraciones.

Los personajes

Luis Vigilante

Felipe Vigilante, su hijo

Lorna Suárez, la hija
de los vecinos

Palabras útiles

VERBOS	SUSTANTIVOS
besar	la escalera
encontrar	la huella
notar	la linterna (*flashlight*)
salir	el muro
seguir	

1. _____
_____
_____
_____
_____

2. _____
_____
_____
_____
_____
_____

3. _____
_____
_____
_____
_____

4. _____
_____
_____
_____
_____
_____

〈 *El español práctico* 〉

1 El sustantivo apropiado

Complete las siguientes oraciones con el sustantivo apropiado.

1. ¡Por favor, señorita! Quisiera tomar el autobús. ¿Podría decirme dónde está la

   _____ más cercana?

2. Al lado del almacén hay un _____ donde los clientes pueden dejar sus coches.

3. Necesito comprar sellos *(stamps)*. ¿Podría indicarme dónde queda la _____ ?

4. Trabajo en un edificio del centro. Es un _____ de más de 40 pisos.

5. El tráfico para cuando el _____ está en rojo.

6. Chico, ¡ten cuidado con el tráfico! ¡Quédate en la _____ y cruza la calle solamente por el paso de peatones *(crosswalk)*.

7. Encima del almacén hay un enorme _____ luminoso donde se lee "Galerías Modernas".

8. Lo siento, pero esa _____ significa que no podemos aparcar el coche en la calle.

9. Si estás cansado, no subas por la escalera. Toma el _____.

10. ¿Necesitas comprar algo más? ¿No? Entonces vámonos. ¿Dónde está la _____ del almacén?

11. El Sr. Espinel bajó al _____ para buscar una botella de vino.

2 En México

Ud. está en México con unos amigos. Dígales a las personas indicadas entre paréntesis lo que tienen que hacer.

MODELO: (a Ud.) ¡*Doble a la derecha!*

1. (a Uds.) ¡_____!

2. (a ti) ¡_____!

3. (a nosotros) ¡_____ al piso 12 en el ascensor!

4. (a Uds.) ¡_____ al primer piso por la escalera mecánica *(escalator)*!

5. (a nosotros) ¡_____ la Calle Serrano en el semáforo!

6. (a Uds.) ¡_____ hasta la Plaza de la Reforma!

       Unidad 4   **45**

3 En el centro

Escoja a dos de las siguientes personas y describa como van a llegar a su destino (destination).

A. El Sr. García acaba de llegar a la ciudad por tren. Tiene una reservación en el Hotel Trocadero.

B. Roberto es dependiente en las Galerías Nuevas. Después del trabajo, tiene una cita con su novia en el Café ''El Jardín''.

C. La Srta. Rueda, ejecutiva en la compañía Publilux, va a almorzar con un cliente en el Restaurante Miramar.

D. Julia Smith, una turista norteamericana, se queda en el Hotel Velázquez. Se da cuenta de que ha perdido el pasaporte. Va a la comisaría de policía para declarar la pérdida del documento.

E. El Sr. González se estacionó (parked) en el aparcamiento municipal y se da cuenta de que necesita gasolina. Va a la gasolinera Ruiz.

F. Luis Ramos trabaja en la oficina de correos. Tiene que llevarle una carta de entrega inmediata (special delivery) al gerente del Banco de Bilbao.

G. Después de almorzar en el Restaurante Miramar, Juanita va a las Galerías Nuevas para comprarle un regalo a su novio.

MODELO: La Sra. Montero y su hija están de compras en las Galerías Nuevas. A las doce deciden ir a almorzar en el Restaurante Vizcaya.

Salen de las Galerías Nuevas y doblan a la izquierda en el Paseo Colón. Siguen derecho hasta la Plaza Colón. Allí, doblan a la derecha en el Paseo Montalbán. Doblan a la izquierda en la Avenida de la Independencia y siguen derecho hasta el restaurante.

1. _____
   _____
   _____
   _____
   _____

2. _____
   _____
   _____
   _____
   _____

Nombre: _____   Fecha: _____

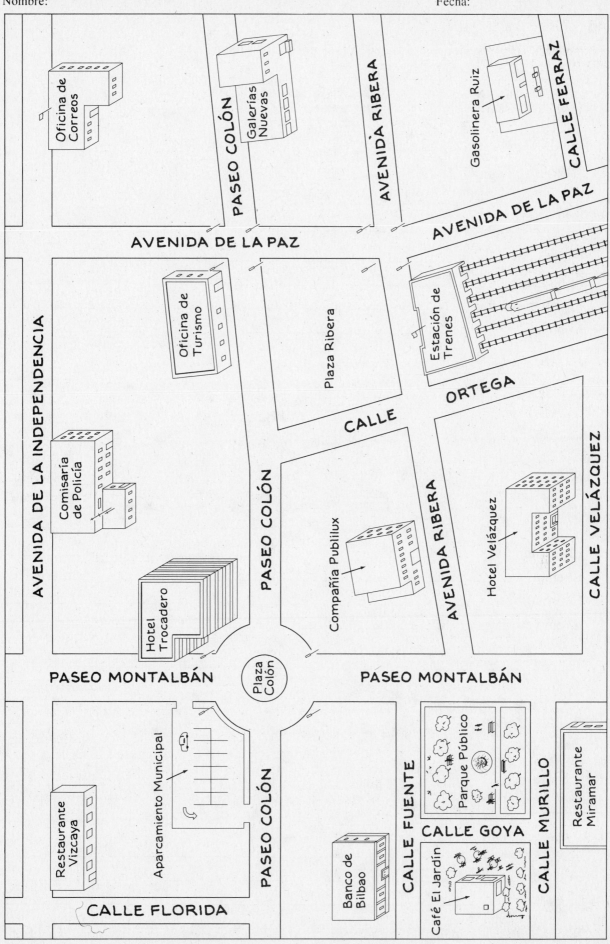

Unidad 4   **47**

4 Conversaciones

Imagine las conversaciones que tienen lugar entre las personas en los dibujos.

1.

El automovilista: _____

El policía: _____

El automovilista: _____

El policía: _____

2.

El turista: _____

El empleado: _____

El turista: _____

El empleado: _____

3.

La cliente: _____

La dependiente: _____

La cliente: _____

La dependiente: _____

Estructuras gramaticales

A. El imperativo: mandatos afirmativos y negativos

1 ¡Por favor!

Diga lo que les dicen ciertas personas a otras, usando la forma de **Ud.** del imperativo afirmativo o negativo de los verbos entre paréntesis.

MODELO: la Sra. Madrigal a su vecina

(tocar)   ¡Por favor! ¡*No toque Ud.* el piano después de las diez de la noche!

1. la dentista al paciente

   (abrir)   ¡Por favor! ¡_____ la boca!

   (usar)   _____ hilo dental (*dental floss*).

   (pagar)   _____ la cuenta (*bill*).

2. la doctora Ruiz al Sr. Fonseca (que es gordo)

   (comer)   ¡Por favor! ¡_____ tanto!

   (almorzar)   _____ chuletas (*pork chops*) todos los días.

   (practicar)   _____ un deporte.

3. el Sr. Santos a su vecino

   (apagar)   ¡Por favor! ¡_____ el televisor!

   (encender)   _____ el radio a las siete de la mañana.

   (colocar)   _____ sus latas de basura (*garbage cans*) delante de mi apartamento.

4. la dueña del restaurante a su auxiliar

   (servir)   ¡Por favor! ¡_____ a los clientes!

   (recoger)   _____ las mesas.

   (fregar)   _____ los platos.

5. la gerente del hotel a la camarera

   (tender)   ¡Por favor! ¡_____ las camas!

   (colgar)   _____ la ropa en el armario (*closet*).

   (sacudir)   _____ las alfombras.

6. el policía de tránsito al automovilista

   (obedecer)   ¡Por favor! ¡_____ el código de tránsito (*traffic laws*)!

   (conducir)   _____ tan rápido.

   (seguir)   _____ las señales de tráfico.

4

2 Unos consejos

Las siguientes personas están de vacaciones en Madrid. Déles unos consejos usando los mandatos afirmativos.

1. (a un amigo) (comprar) _____ el *ABC*.

   (leer) _____ la página de los espectáculos.

   (asistir) _____ a un concierto.

   (escuchar) _____ música flamenca.

2. (a nosotros) (escoger) _____ un buen restaurante.

   (almorzar) _____ en "la Casa Botín".

   (pedir) _____ las especialidades del menú.

   (probar) _____ el vino tinto de la casa.

3. (a dos turistas) (visitar) _____ el Museo del Prado.

   (dar) _____ un paseo por el Parque del Retiro.

   (sacar) _____ unas fotos del Palacio Real.

   (reunirse) _____ con sus amigos españoles.

3 ¡Sí y no!

Dígale a un amigo que haga ciertas cosas y que no haga otras, usando la forma de **tú** del imperativo afirmativo o negativo de los verbos entre paréntesis.

1. (venir) ¡_____ a mi casa a las cinco de la tarde!

   ¡No _____ después de la cena!

2. (tener) ¡_____ cuidado con el tráfico!

   ¡No _____ miedo de usar los transportes públicos!

3. (hacer) ¡_____ la tarea conmigo!

   ¡No _____ tanto ruido!

4. (salir) ¡_____ conmigo el sábado próximo!

   ¡No _____ con los otros chicos!

5. (ir) ¡_____ a esta cafetería!

   ¡No _____ a aquel restaurante de lujo!

6. (ser) ¡_____ más cortés con el camarero!

   ¡No _____ tan presumido (*conceited*)!

7. (poner) ¡_____ un disco de canciones folklóricas!

   ¡No _____ música rock!

8. (decir) ¡Siempre _____ la verdad!

   ¡Nunca _____ mentiras!

SALVE LA VIDA DE UN NIÑO

Ayuda en Acción

Caracas, 21 - 28010 Madrid
Travesera de Gracia, 8 - 08021 Barcelona

Nombre

Calle

Ciudad   D16

Tel

4 Otras recomendaciones

Analice las siguientes situaciones. Luego, haga unas recomendaciones usando el imperativo afirmativo o negativo del verbo entre paréntesis.

MODELOS: No queremos perder el tren. ¡_Démonos_____ prisa! (darse)

 Ud. tiene la gripe *(flu)*. ¡_No se levante_____! (levantarse)

1. Estamos enfermos. ¡_____ en casa! (quedarse)

2. Ud. está cansado. ¡_____ en esa silla! (sentarse)

3. Uds. tienen mucha hambre. ¡_____! (desayunarse)

4. Cortas el pan. ¡_____ con el cuchillo! (cortarse)

5. Tenemos una cita en el Café ''El Sol''. ¡_____! (irse)

6. Ud. tiene que tomar un tren a las ocho de la mañana. ¡_____
 a las seis! (despertarse)

7. Uds. tienen mucho sueño. ¡_____! (acostarse)

8. Tienes miedo del tigre. ¡_____ a la jaula *(cage)*! (acercarse)

9. Uds. tienen que llegar a la estación a tiempo *(on time)*. ¡_____
 en el café! (pararse)

10. Acabas de lavarte el pelo. ¡_____ el pelo con la secadora!
 (secarse)

B. Para y por

5 ¿Para o por?

Complete las siguientes oraciones con **para** o **por**.

1. Vamos a quedarnos en México _____ tres semanas.

2. ¿Cómo vas a Acapulco? ¿_____ avión o en autobús?

3. _____ mexicano, su primo habla muy bien el francés.

4. ¿Cuántos pesos van a darme _____ 10 dólares?

5. Mañana, vamos a salir _____ la ciudad de Puebla.

6. ¿Tienes planes _____ el domingo próximo?

7. ¿Qué vas a hacer _____ la noche?

8. Uds. tienen que terminar la tarea _____ el lunes.

9. Después de la cena, vamos a dar un paseo _____ el centro.

10. Voy a comprar un regalo _____ mi papá _____ su cumpleaños.

11. Los bomberos entraron en el teatro _____ la salida de emergencia.

12. El ascensor no funciona. Tiene que subir al tercer piso _____ las escaleras.

13. La Sra. Díaz va a comprar muebles nuevos _____ su apartamento.

14. Los chicos caminan _____ la acera.

15. Tomamos un taxi _____ ir al teatro.

16. Muchas gracias, ¡pero no se preocupe _____ mí!

*LECO

Para andar bien, como es natural.

Calzado terapéutico.

De venta en farmacias.

C. Adverbios y preposiciones de lugar

6 ¿Dónde están?

Mire el dibujo y complete las oraciones con la preposición de lugar apropiada.

MODELO: El Banco Comercial está _a la derecha del_ _____ (el) hotel.

1. La estatua está _____ (la) Plaza Bolívar.

2. Hay árboles _____ (la) estatua.

3. El coche negro se estacionó _____ (el) hotel.

4. El coche blanco se paró _____ (el) coche negro.

5. Hay rótulos _____ (los) edificios.

6. La agencia de viajes está _____ (el) fotógrafo.

7. El hotel está _____ (el) banco y la farmacia.

8. La farmacia está _____ (el) hotel.

Lecturas literarias

Las aventuras de Juan Bobo

Palabras claves

1 Complete las siguientes oraciones con las palabras apropiadas de los vocabularios en las páginas 114 y 118 de su texto. Haga los cambios que sean necesarios.

[I] 1. La mamá de Juan le pide a su hijo que vaya al _____.

2. Los profesores les _____ a los estudiantes que estudien más.

3. Caminando por la _____ el muchacho se encuentra con mucha gente.

4. El ruido de los vecinos _____ al niño.

5. No quiero que tú _____. Te oigo perfectamente.

6. Cuando entres, espero que tú _____ a todos los invitados.

7. La señora tiene una _____ que pone huevos diariamente.

[II] 8. La policía arrestó al _____ que robó el banco.

9. El _____ destruyó totalmente la cosecha.

10. ¡Llévate el paraguas! Va a caer un _____.

11. El muchacho _____ de la lluvia subiendo a un árbol.

12. El bandido _____ al turista para robarle su dinero.

13. Los piratas escondieron el _____ en una isla del Caribe.

14. Si yo _____ el apoyo (*support*) económico de mis padres, asistiré a la universidad de ese otro estado.

15. El _____ de los bandidos consistía en un saco de monedas de oro.

Estructuras gramaticales

2 **Los mandatos**

En el cuento hay diez ejemplos de mandatos. Lea el cuento una vez más y busque seis mandatos, cuatro en la forma de **tú** y dos en la forma de **ustedes**.

MODELO: *Vete al mercado* parte _I_ línea _7_ infinitivo *irse*

(tú)

1. _____ parte _____ línea _____ infinitivo _____

2. _____ parte _____ línea _____ infinitivo _____

3. _____ parte _____ línea _____ infinitivo _____

4. _____ parte _____ línea _____ infinitivo _____

(ustedes)

5. _____ parte _____ línea _____ infinitivo _____

6. _____ parte _____ línea _____ infinitivo _____

4

3 ¿Por o para?

Complete las siguientes frases con **por** o **para**, según el texto del cuento. Luego, dé el equivalente en inglés.

MODELO: I, líneas 3–5:

Por eso todo el mundo . . . le llamaba Juan Bobo.

Because of that, everyone . . . called him Juan Bobo.

1. I, líneas 12–13:

Juan . . . salió _____ el mercado.

_____

_____

2. I, línea 15:

_____ la carretera, iban el novio, la novia y los familiares.

_____

_____

3. II, línea 3:

[Juan] caminó _____ el mercado.

_____

_____

4. II, líneas 5–6:

[Juan] se lamentó _____ no tener dinero _____ comprar

un florero _____ su mamá.

_____

_____

_____

5. II, líneas 7–8:

_____ fin, salió Juan del mercado y se puso en camino _____ su casa.

_____

_____

_____

6. II, líneas 8–9:

[Juan] subió a un árbol frondoso _____ dormir la siesta.

_____

_____

Mejore su español

4   Complete las siguientes explicaciones con la forma en **-ísimo** del adjetivo entre paréntesis.

1. Te aconsejo que no compres esa camisa. Es _____. (caro)

2. La tía de Juan tiene mucho dinero. Es _____. (rico)

3. Ese niño no obedece a los profesores. Es _____. (terco: *stubborn*)

4. Es un buen jugador de fútbol. Es _____. (veloz: *fast*)

5. No quiero que te acerques a ese perro. Es _____. (feroz: *ferocious*)

6. Te sugiero que no tomes ese camino. Es _____. (largo)

Expansión: Modismos, expresiones y otras palabras

(I)   **a toda prisa**   *quickly*
cierto día   *one day*
en un abrir y cerrar de ojos   *in a wink, in an instant*

(II)   *to get*   **obtener**   *to get, obtain* (through one's initiative)
Juan **obtuvo** el botín.   *Juan **got** the booty.*

recibir   *to get, receive* (from someone)
¿**Recibiste** mi carta?   *Did you **get** my letter?*

conseguir   *to* (manage to) *get*
Los ladrones **han**   *The thieves **got** the money.*
conseguido el dinero.

adquirir   *to get, acquire; to buy*
Quiero **adquirir**   *I want **to get** a horse.*
un caballo.

to become   **hacerse**   *to become* (a member of a profession); *to become* (rich)
No quiere **hacerse** médico.   *He doesn't want **to become** a doctor.*
Es fácil **hacerse** rico.   *It's easy **to become** rich.*

ponerse   *to become* (to change appearance or emotional state)
Se puso pálido.   *He became pale.*

---

5   Escriba el sinónimo de la expresión subrayada.

1. Caminamos <u>rápidamente</u>.   _____

2. Lo vi <u>un día</u> de otoño.   _____

3. Desapareció <u>en un instante</u>.   _____

6 Dé el equivalente en español de las siguientes frases.

1. *John got many compliments for his generosity.*

   Juan _____ muchos elogios por su generosidad.

2. *Who managed to get the tickets?*

   ¿Quién _____ los boletos?

3. *He would like to become a programmer.*

   Le gustaría _____ programador.

4. *They became nervous.*

   _____ nerviosos.

5. *I would like to get a new car.*

   Me gustaría _____ un coche nuevo.

6. *It is hard to become a lawyer.*

   Es difícil _____ abogado.

7. *When are you going to get your degree?*

   ¿Cuándo vas a _____ tu diploma?

Unidad 6

Escenas de la vida

¡Qué lindas vacaciones!

1 **Comprensión del texto e interpretación personal**

Lea otra vez el texto en las páginas 152–155 de su libro y conteste las siguientes preguntas.

1. ¿Qué decepción sufrieron los Revueltas al llegar al mar?

_____

_____

_____

2. ¿Cómo se le escapó el pez al Sr. Revueltas?

_____

_____

_____

3. ¿Cómo fue a la finca Enrique? ¿Cómo regresó al hotel?

_____

_____

_____

4. ¿Por qué caminaba con muletas Elena?

_____

_____

_____

5. ¿Por qué no trajo fotos de las vacaciones la Sra. de Revueltas?

_____

_____

_____

6. ¿Cómo terminó la merienda (picnic) en el campo?

_____

_____

_____

7. ¿Cómo le describe sus vacaciones Enrique a su novia? Según Ud., ¿por qué le hace tal descripción?

_____

_____

6

2 Otra carta de Enrique

Después de escribirle a su novia, Enrique le escribe otra carta a Rafael, su mejor amigo. En esta carta, le dice la verdad sobre las horrorosas vacaciones que está pasando con su familia. Complete la carta de Enrique dando algunos detalles.

Cartagena, el tres de agosto

Querido Rafael,

Estoy en Cartagena adonde llegué el sábado pasado con la familia. Sabes como todos habíamos soñado con estas vacaciones. Bueno... Debo admitirte que no estamos pasándolas como lo esperábamos. ¡Al contrario! Figúrate que _____

_____

_____

_____

_____

_____

_____

_____

_____

_____

Y tú, ¿qué haces? Espero que lo estés pasando mejor que yo.

Un abrazo de tu amigo,

Enrique

❰ *El español práctico* ❱

1 El intruso

En cada serie, hay una palabra que no pertenece al grupo. Búsquela y márquela con un círculo.

MODELO: perro gato (hombre) caballo

1. broncearse	bañarse	zambullirse	desmayarse
2. cansarse	disfrutar	gozar	divertirse
3. pescar	acampar	bucear	tirarse al agua
4. bucear	escalar	trepar	subir
5. ocurrir	asistir	suceder	tener lugar
6. un paseo	una excursión	una vuelta	una barbacoa
7. el campo	el bosque	el caballo	el cerro
8. la niebla	la lluvia	la neblina	el sol
9. un robo	un aguacero	un terremoto	una tempestad
10. un fuego	un accidente	una carretera	un robo

2 El tiempo

Describa el tiempo que hace. Diga lo que se puede hacer entonces y lo que se debe evitar *(to avoid)*.

MODELO:

Hace mucho sol.
Cuando *hace sol, se puede broncear.*
Pero, ¡cuidado! *No debe quemarse.*

1. _____

Cuando _____

Pero, ¡cuidado! _____

2. _____

Cuando _____

Pero, ¡cuidado! _____

Unidad 6 **75**

3 En el verano

Conteste las siguientes preguntas según el dibujo.

1. ¿Dónde tiene lugar la escena?

   _____

2. ¿Qué hace el hombre en el pontón (pier)?

   _____

3. ¿Qué hace el chico que está al lado del hombre?

   _____

4. ¿Qué hace la chica que está cerca del bote de vela?

   _____

5. ¿Es peligroso lo que hace? Explique su respuesta.

   _____

6. ¿Qué hacen las jóvenes que se ven en el primer plano (foreground)?

   _____

7. ¿Por qué se pone crema bronceadora (suntan lotion) la chica?

   _____

8. ¿Qué hace el joven de la derecha?

   _____

9. ¿Es peligroso lo que hace? Explique su respuesta.

   _____

10. ¿Qué hacen las personas que aparecen al fondo (back) del dibujo?

   _____

4 De vacaciones

Describa las vacaciones de las siguientes personas, mencionando por lo menos tres actividades. Use verbos en el pretérito.

1. Jaime fue a Puerto Rico.

_____

_____

_____

_____

2. Yo pasé las vacaciones en la Florida.

_____

_____

_____

_____

3. Uds. pasaron el mes de agosto en las Montañas Rocosas *(Rocky)*.

_____

_____

_____

_____

4. Gloria y María Luz pasaron el verano en la hacienda de sus abuelos.

_____

_____

_____

_____

5. Tú fuiste a la casa de campo de tus padres.

_____

_____

_____

_____

6. Nosotros fuimos a los Grandes Lagos en Michigan.

_____

_____

_____

_____

5 ¡Ay! ¡Qué desgracia!

Describa los problemas que tuvieron las siguientes personas, completando los párrafos con una expresión apropiada.

MODELO: El Sr. González pisó (stepped on) una cáscara (peel) de banana. Se
resbaló, se cayó y *se torció el tobillo (se rompió la pierna).*

1. Graciela y su prima alquilaron bicicletas y fueron de excursión al campo. Siguieron carreteras estrechas por unos treinta kilómetros. Las chicas no tenían mapa de la región y cuando quisieron regresar al hotel, _____

   _____

2. Roberto y Enrique dieron un paseo en bote de vela. Cuando salieron del puerto (harbor), el mar estaba muy tranquilo. Pero, al regresar hacía mucho viento y las olas (waves) estaban muy fuertes. Los dos chicos _____

   _____

3. El primer día que llegó al mar, Rubén fue a la playa. Se quitó la camisa y tomó un baño de sol. Como hacía un sol muy fuerte, el pobre chico _____

   _____

4. El sábado pasado, Ricardo fue al campo con sus amigos. Hicieron una barbacoa. Después de comer, jugaron al volibol. Por desgracia se olvidaron de apagar el fuego y _____

   _____

5. Gloria decidió dar una vuelta a caballo por el cerro. Su caballo era un animal muy nervioso. Daba tantas coces (kicks) que finalmente la pobre chica _____

   _____ y _____

   _____

6. Ayer había mucho hielo en la carretera. El Sr. Ortega vio un camión que venía a gran velocidad y trató de frenar (to brake). El coche deslizó y chocó con un árbol. El Sr. Ortega _____

   _____

   Afortunadamente no _____

6 Un reportaje

Ud. es reportero(a) para un periódico hispano. Escriba su reportaje sobre dos de los siguientes eventos. Incluya algunos detalles.

MODELO: *un robo:* ¿dónde? ¿cuándo? ¿cómo?

> Un robo ocurrió ayer en la Oficina de Turismo. Eran las dos de la mañana. Un ladrón entró por la ventana de la oficina. Un transeúnte° *passerby* que paseaba su perro vio que la luz estaba encendida. Llamó a la policiá que llegó pronto. El ladrón se escapó sin llevarse nada.

A. *un incendio:* ¿dónde? ¿cuándo? ¿en qué tiempo?

B. *una boda:* ¿de quién? ¿dónde? ¿cuándo?

C. *la inauguración de un monumento:* ¿dónde? ¿cuándo? ¿por quién?

_____
_____
_____
_____
_____
_____
_____
_____
_____
_____
_____
_____
_____
_____
_____
_____
_____
_____
_____

Estructuras gramaticales

A. El imperfecto: las formas

1 ¡Todo cambia!

Lea lo que hacen ahora las siguientes personas y escriba lo que hacían antes.

AHORA	ANTES
MODELO: Isabel vive en Los Ángeles.	_Vivía_ en México.

1. La Sra. Buenavista trabaja en un laboratorio. _____ en un banco.

2. Eres periodista. _____ fotógrafo.

3. Salgo con Anita. _____ con Dolores.

4. Ud. tiene un coche deportivo. _____ una motocicleta.

5. Vamos a la universidad. _____ al colegio.

6. Conduzco un Ferrari. _____ un Fiat.

7. Ud. almuerza en el Restaurante Continental. _____ en la cafetería estudiantil.

8. Vemos películas románticas. _____ películas de ciencia ficción.

B. El uso del imperfecto y del pretérito

2 Una vez

Describa lo que hacían generalmente las siguientes personas y lo que hicieron en una ocasión especial. Para hacer esto, use el imperfecto y el pretérito de los verbos entre paréntesis.

MODELO: (cenar)

(*Generalmente*) Los Domínguez _cenaban_ en casa.

(*Pero una vez*) Para el aniversario de su matrimonio, _cenaron_ en el Restaurante Atalaya.

1. (beber)

(*Generalmente*) Mi hermana mayor _____ agua mineral.

(*Pero una vez*) Para su fiesta de cumpleaños, _____ champán.

2. (ir)

(*Generalmente*) Nosotros _____ a las montañas para las vacaciones.

(*Pero una vez*) El año pasado _____ a orillas del mar.

3. (dar)

(*Generalmente*)   Los padres de Carmen le _____ dinero a su hija por la

                         Navidad.

(*Pero una vez*)   Le _____ un coche nuevo cuando se casó.

4. (ponerse)

(*Generalmente*)   El campesino _____ un pantalón viejo para ir al campo.

(*Pero una vez*)   _____ un traje nuevo para ir a la boda de su hijo.

5. (recibir)

(*Generalmente*)   Todas las semanas, Carolina _____ una carta de su

                         novio.

(*Pero una vez*)   El día de su santo, _____ un ramo (*bouquet*) de flores.

3 Durante las vacaciones

Describa los sucesos que ocurrieron en el verano. Para hacer esto, complete las
siguientes oraciones con el pretérito o el imperfecto, según el caso, del verbo
entre paréntesis.

1. (ganarse)   Emilia _____ la copa por ser la mejor jugadora

                   de tenis.

2. (reunirse)   Felipe _____ con su novia todos los días después

                   del trabajo.

3. (romperse)   Yo _____ la pierna en un accidente de motocicleta.

4. (asistir)   Nosotros _____ a algunas corridas de toros

                   muy emocionantes.

5. (broncearse)   Uds. siempre _____ al sol antes de bañarse.

6. (dormir)   Generalmente, Uds. _____ la siesta después

                   del almuerzo.

7. (merendar)   Los sábados, nosotros _____ en el campo.

8. (bucear)   Elena _____ por primera vez.

9. (torcerse)   Tú _____ el tobillo jugando al fútbol.

10. (visitar)   Nosotros _____ Sevilla y Córdoba antes de regresar

                   a casa.

11. (hacer)   Yo _____ jogging todas las mañanas.

12. (organizar)   De vez en cuando, nosotros _____ fiestas en casa.

6

           Unidad 6   **81**

4 ¿Qué ocurrió?

Describa los sucesos representados en los siguientes dibujos. Use el pretérito o el imperfecto según el caso.

1. Palabras útiles

VERBOS
caerse
chocar con *(to bump into)*
trepar

SUSTANTIVOS
la escalera *(ladder)*

_____

_____

_____

_____

_____

_____

_____

_____

2. Palabras útiles

VERBOS
dar una patada *(to kick)*
jugar
romper

SUSTANTIVOS
el cristal *(window pane)*

_____

_____

_____

_____

_____

_____

_____

_____

3. Palabras útiles

VERBOS
chocar *(to collide)*
enfadarse
gritar *(to shout)*

SUSTANTIVOS
el conductor *(driver)*
el parachoques *(bumper)*

_____
_____
_____
_____
_____
_____
_____
_____

4. Palabras útiles

VERBOS
dormir
entrar
robar
salir

SUSTANTIVOS
las joyas *(jewels)*
el ladrón *(burglar)*
el tocador *(dresser)*

_____
_____
_____
_____
_____
_____
_____
_____

5 La enfermedad del Sr. Peña

Complete las siguientes oraciones con el pretérito o el imperfecto, según el caso.

MODELO: (ocurrir)   Hace unos años, un gran cambio _ocurrió_ en la vida del Sr. Peña.

1. (ser)   Antes de su enfermedad, el Sr. Peña _____ un hombre muy ocupado.

2. (dirigir)   _____ una empresa de aparatos eléctricos.

3. (trabajar)   El pobre señor _____ muchísimo.

4. (despertarse) _____ a las cinco y media de la mañana . . .

5. (acostarse)   y nunca _____ antes de medianoche.

6. (ir)   _____ a su oficina todos los sábados, y a veces, también los domingos.

7. (tomar)   En los veranos, raramente _____ vacaciones.

8. (ganarse)   Por supuesto, _____ bien la vida,

9. (estar)   pero no _____ muy contento.

10. (sentir)   Un día, al despertarse, _____ un dolor agudo (sharp) en el pecho (chest) . . .

11. (caerse)   y _____ al suelo.

12. (llamar)   En seguida, su esposa _____ a un hospital . . .

13. (enviar)   que rápidamente _____ una ambulancia.

14. (diagnosticar) La médica de servicio _____ un ataque de corazón.

15. (morirse)   El Sr. Peña no _____ . . .

16. (tener)   pero _____ que quedarse dos meses en el hospital.

17. (decir)   La médica le _____ . . .

18. (tener)   que _____ que cambiar su modo de vida y descansar más.

19. (vender)   Al salir del hospital, el Sr. Peña _____ su empresa,

20. (comprarse) y _____ una villa a orillas del mar. Ahora, el Sr. Peña trabaja menos. Gana menos dinero pero goza de la vida.

DONAR SANGRE
ES AYUDAR A LA VIDA

Banco Central de Sangre

C. El uso del pretérito y del imperfecto en la misma oración

6 ¿Qué ocurrió?

Use los verbos entre paréntesis en el imperfecto o en el pretérito, según el caso, para describir lo que ocurrió.

MODELOS: (dormir / entrar)

Los vecinos *dormían* cuando el ladrón *entró* en el apartamento.

(sonar / cenar)

El teléfono *sonó* mientras que nosotros *cenábamos*.

1. (escaparse / limpiar)

   El tigre _____ mientras que el mozo _____ su jaula (cage).

2. (divertirse / estar)

   Mientras que tú _____ con tus amigos, yo _____ en la biblioteca.

3. (conocer / pasar)

   El verano pasado, mi hermana _____ a un chico que _____ las vacaciones en la Costa Brava.

4. (ir / oir)

   Arturo _____ al cine cuando _____ una explosión tremenda.

5. (tener / vivir)

   En el colegio, yo _____ un amigo que _____ en París.

6. (llegar / enviar)

   Cuando Catalina _____ a Madrid, le _____ un telegrama a su novio.

7. (saber / poder)

   Porque yo no _____ tu dirección, no _____ ir a tu fiesta.

8. (ver / llevarse)

   Yo no _____ al ladrón que _____ tu cámara.

9. (vivir / hablar)

   Cuando nosotros _____ en Puerto Rico, _____ español todos los días.

10. (escribir / ganarse)

    Carlota les _____ a sus padres que _____ bien la vida.

Unidad 6 **85**

7 Un espectáculo en la calle

Mientras regresaba a casa con su amiga Teresa, Marisol vio algo insólito *(unusual)* en la calle. Complete su descripción del suceso usando el imperfecto o el pretérito según el caso.

1. (ser) _____ las cinco de la tarde

   (regresar) cuando yo _____ del colegio.

2. (caminar) _____ con Teresa, mi mejor amiga,

   (contar) quien me _____ de su cita con su novio.

3. (llegar) Cuando nosotros _____ a la Calle San Fermín,

   (ver) _____ un gran gentío *(crowd)*

   (mirar) que _____ hacia arriba.

4. (mirar) Entonces, nosotros también _____ hacia arriba

   (darse cuenta) y de pronto _____

   (ocurrir) de lo que _____ .

5. (ver) Yo _____ a un joven

   (escalar) que _____ la fachada *(facade)* de un rascacielos.

6. (hay) En el techo *(roof)* _____ dos policías

   (esperar) que lo _____ .

7. (detener: *arrest*) Finalmente, los policías _____ al joven

   (llegar) cuando _____ al techo.

8. (poner) Al día siguiente, un juez *(judge)* le _____ una multa *(fine)* al pobre joven de 100.000 pesetas.

9. (ser) Pero, en seguida, el joven _____ empleado *(hired)* por el circo *(circus)* TRAMAR como acróbata.

10. (sacar) En la conferencia de prensa que dio el joven, los fotógrafos _____

    (aplaudir) fotos y todo el mundo _____ al joven

    (sonreír) que _____ .

Lecturas literarias

Una carta a Dios

Palabras claves

1 Complete las siguientes oraciones con las palabras apropiadas de los vocabularios en las páginas 176 y 179 de su texto. Haga los cambios que sean necesarios.

[I]   1. En aquella _____ hay muchas legumbres y verduras.

2. El _____ es uno de los ingredientes básicos de la comida mexicana.

3. Esos tomates no están verdes. Están _____.

4. ¡Cuidado! Sus padres no quieren que Ud. _____ al sol por mucho tiempo.

5. Ud. no debe _____ por esos problemas románticos.

6. Por falta de lluvia la _____ fue escasa.

[II]   7. ¿Vas a _____ esa carta al correo?

8. No te olvides de _____ bien el sello antes de ponerlo en el sobre.

9. ¿Puedes _____le este paquete personalmente a la profesora?

10. La _____ en Dios de parte de Lencho es admirable, ¿verdad?

11. Te aconsejo que ayudes a otros. Haz muchas _____.

12. Enfrente de la oficina de correos hay tres _____.

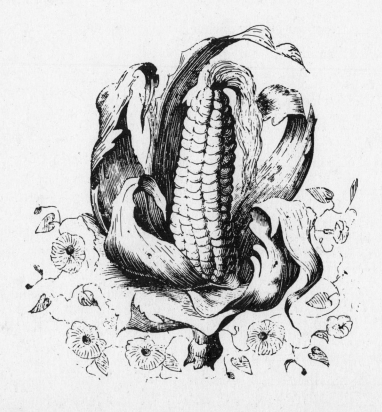

Estructuras gramaticales

2 Repaso: formas irregulares del pretérito y del imperfecto

Complete las siguientes frases según el texto. Luego, escriba el infinitivo de cada verbo.

MODELO: I, línea 5:   Lo único que necesitaba la tierra __*era*__ una lluvia . . .

infinitivo: __*ser*__

1. I, línea 2:
   Desde allí se _____ el río y . . . el campo de maíz . . .

   infinitivo: _____

2. I, línea 32:
   Durante una hora _____ el granizo . . .

   infinitivo: _____

3. I, línea 36:
   [Lencho] _____ a sus hijos: . . .

   infinitivo: _____

4. II, línea 15:
   . . . todavía preocupado, _____ al pueblo.

   infinitivo: _____

5. II, línea 15:
   . . . le _____ un sello a la carta . . .

   infinitivo: _____

6. II, línea 27:
   . . . el jefe de la oficina _____ una idea . . .

   infinitivo: _____

7. II, línea 30:
   Pero _____ con su determinación . . .

   infinitivo: _____

8. II, línea 30:
   . . . _____ dinero a su empleado . . .

   infinitivo: _____

9. II, línea 31:
   . . . él mismo _____ parte de su sueldo . . .

   infinitivo: _____

10. II, línea 33:
    _____ imposible . . . reunir los 100 pesos . . .

    infinitivo: _____

11. II, línea 34:
    . . . sólo _____ enviar al campesino un poco más de la mitad.

    infinitivo: _____

12. II, línea 53:
    Del dinero que te _____ . . .

    infinitivo: _____

3 El uso del pretérito y del imperfecto

Este cuento tiene muchos ejemplos del uso del pretérito y del imperfecto. Busque tres ejemplos para cada categoría.

Imperfecto *(background)*

MODELO: __I__, línea __6__ : *Lencha...que conocía muy bien el campo...*

1. _____, línea _____ : _____
2. _____, línea _____ : _____
3. _____, línea _____ : _____

Pretérito *(main action or event)*

MODELO: __I__, línea __26__ : *... comenzó a soplar un fuerte viento...*

4. _____, línea _____ : _____
5. _____, línea _____ : _____
6. _____, línea _____ : _____

Imperfecto *(ongoing action)* y pretérito *(action at specific point in time)* en la misma oración

MODELO: __I__, línea __10__ : *Y la vieja, que preparaba la comida, le respondió: ...*

7. _____, línea _____ : _____
8. _____, línea _____ : _____
9. _____, línea _____ : _____

Mejore su español

4 Complete las siguientes oraciones con las expresiones que convengan.

1. La mujer sintió mucha _____ por la pérdida   (triste / tristeza)
   de su campo.

2. Estaba tan _____ que la   (alegre / alegría)
   _____ se reflejaba en su cara.

3. Necesito toda la _____ que puedas darme.   (ayudar / ayuda)

4. Tengo _____ de que llegue hoy.   (esperan / esperanzas)

5. ¡Qué _____ ! Parecía que el   (agua / aguacero)
   _____ nunca iba a parar.

6. Sin duda, ella lo hará con _____ .   (gusta / gusto)

Expansión: Modismos, expresiones y otras palabras

(I) **a lo menos** *at least*

sí que *really, certainly* (emphasis)

en medio de *in the middle of, in the midst of*

a causa de *because of*

(II) *only* **solamente, sólo** *only* (general term), *solely* (adverb)

Salió **solamente** para sentir la lluvia en el cuerpo.

*He went out **only** to feel the rain on his body.*

Sólo llegaron a mis manos sesenta pesos.

*I **only** received sixty pesos.*

único *only* (one) (adjective)
la **única** casa en todo el valle

*the **only** house in the whole valley*

solo *only, single* (adjective)
. . . su **sola** esperanza: la ayuda de Dios.

*. . . his **only** hope: the help of God.*

---

5 Llene con la expresión que convenga.

1. El accidente ocurrió _____ la calle.

2. Pero claro, Federico, _____ lo va a hacer inmediatamente.

3. Se encuentra en el hospital _____ ese terrible accidente.

4. Había _____ cien personas en la fiesta de cumpleaños de Margarita.

6 Dé el equivalente en español de las siguientes frases.

1. *I only want to see you one more time.*

   Quiero verte _____ una vez más.

2. *She is the only daughter.*

   Es la _____ hija.

3. *His only thought was his harvest.*

   Su _____ pensamiento era su cosecha.

Unidad 7

◖ Escenas de la vida ◗

La especialidad de la casa

1 **Comprensión del texto e interpretación personal**

Lea otra vez el texto en las páginas 184–186 de su libro y conteste las siguientes preguntas.

1. Para Linda, ¿qué quiere decir "especialidades turísticas"? ¿Por qué?

_____

_____

_____

2. Para el camarero, ¿qué quiere decir "especialidades turísticas"? ¿Por qué?

_____

_____

_____

3. ¿Qué tipo de comida espera probar Linda? ¿Qué platos típicos pide?

_____

_____

_____

4. ¿Cómo imagina Ud. al camarero? ¿Cuál es su actitud?

_____

_____

_____

_____

5. Por fin, ¿qué come Linda? ¿Por qué?

_____

_____

_____

_____

6. Cuando Ud. va a un restaurante, ¿qué tipo de comida pide? ¿platos norteamericanos o platos de otros países? ¿Por qué?

_____

_____

_____

7

2 El cliente es rey, pero . . .

Este episodio ocurre en dos escenas.

En la primera escena, un turista entra en un restaurante. Se sienta en una mesa y le pide el menú al camarero. No puede decidir lo que quiere y le pide al camarero que le recomiende algo. El camarero le dice que todos los platos son muy sabrosos, añadiendo *(adding)* que la especialidad del cocinero es la paella valenciana. Es una verdadera delicia. El turista pide la paella con un vaso de vino tinto.

En la segunda escena, el camarero le pregunta al turista qué le pareció la paella. El turista le contesta que nunca en su vida había comido plato tan malo. Dice que el arroz no estaba cocido *(cooked)*, los guisantes *(peas)* estaban muy duros y los mariscos no estaban frescos. Le informa al camarero que no va a pagar la cuenta . . .

Imagínese las dos escenas. Para cada escena, escriba el diálogo entre el turista y el camarero. Use su imaginación e incluya todos los detalles posibles.

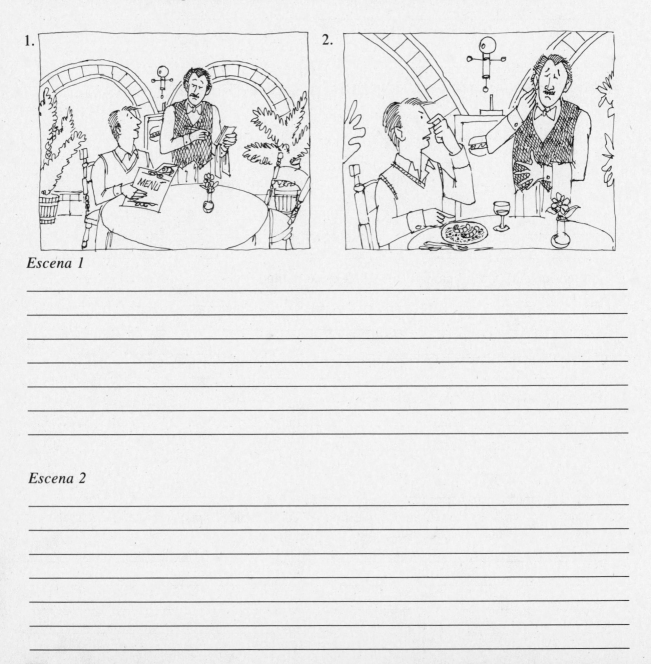

1.   2.

Escena 1

_____
_____
_____
_____
_____
_____
_____
_____

Escena 2

_____
_____
_____
_____
_____
_____
_____
_____

❬ *El español práctico* ❭

1 El intruso

En cada serie hay una palabra que no pertenece al grupo. Búsquela y márquela con un círculo.

MODELO: almuerzo   (naranja)   desayuno   cena

1. lata	botella	libra	bolsa
2. paquete	pedazo	caja	lata
3. propina	posada	mesón	fonda
4. carnicería	cafetería	lechería	pastelería
5. almejas	mejillones	aceitunas	ostras
6. langosta	bacalao	atún	pez espada
7. chuletas	filetes	asado	aguacate
8. guisantes	frijoles	zanahorias	galletas
9. cordero	postre	cerdo	ternera
10. papas	uvas	melocotones	manzanas
11. sandía	piña	pepino	toronja
12. flan	pato	torta	tarta

DESCUBRA LA RIQUEZA
GASTRONOMICA DE ESPAÑA

2 ¿En qué cantidades?

Ud. hace un inventario de lo que hay en la cocina. Complete la lista con las cantidades o los recipientes (*containers*) apropiados.

MODELO: *un kilo (una caja)* _____ de azúcar

1. _____ de mayonesa
2. _____ de espaguetis
3. _____ de huevos
4. _____ de queso
5. _____ de vinagre
6. _____ de galletas de chocolate
7. _____ de sardinas
8. _____ de cerdo

COCINA
REGIONAL
ESPAÑOLA

7

     Unidad 7   **93**

3 En la cocina del restaurante

Ud. es el(la) cocinero(a) de un restaurante hispano. Prepare 3 menús diferentes.

MENÚ

menú vegetariano

Entremeses: _____

Plato principal: _____

Postre: _____

Bebida: _____

menú de fiesta

Entremeses: _____

Plato principal: _____

Postre: _____

Bebida: _____

mi menú favorito

Entremeses: _____

Plato principal: _____

Postre: _____

Bebida: _____

4 Escenas de la vida

Conteste las siguientes preguntas según los dibujos.

A.

1. ¿En qué tipo de tienda tiene lugar la escena?

_____

_____

2. ¿Qué tipo de frutas se venden?

_____

_____

3. ¿Qué quiere comprar el señor?

_____

_____

4. ¿Cuánto cuestan?

_____

_____

B.

1. ¿Cómo se llama el restaurante?

   _____

2. Según Ud., ¿cuáles son las especialidades de la casa?

   _____

3. ¿Qué comió el cliente sentado a la izquierda? ¿Qué bebió?

   _____

4. ¿Por qué llama al camarero?

   _____

5. ¿Cómo se puede pagar?

   _____

6. ¿Qué hay en la mesa a la derecha?

   _____

7. ¿Qué pide el señor?

   _____

8. ¿Qué pide la señorita? ¿Pide la especialidad de la casa?

   _____

   _____

9. ¿Le gustaría a Ud. comer en este restaurante? Explique su respuesta.

   _____

   _____

5 Diálogos

Complete los siguientes diálogos lógicamente.

A. En la carnicería

La carnicera: ¡Buenos días! ¿_____?

El cliente: _____ cuatro chuletas de cerdo.

La carnicera: ¡Aquí están! ¿_____?

El cliente: Sí, _____ también una pierna de

cordero. ¿_____ ésa?

La carnicera: 400 pesos la libra.

El cliente: Muy bien. Démela. ¿_____?

La carnicera: En total, 5.680 pesos. Puede pagar en la caja.

CARNICERIA
Cordero, por medios
o enteros, kg.................... **635**
Chuletas de cordero, kg........... **930**
Pierna de cordero, kg............. **710**

SUPER MERCADOS
El Corte Inglés

B. En la tienda de comestibles

La comerciante: Buenos días, señor. ¿En qué _____?

El cliente: _____.

La comerciante: ¿Necesita algo más?

El cliente: Sí, _____.

La comerciante: ¿Eso es todo?

El cliente: ¡Sí, gracias! ¿Dónde puedo pagar?

La comerciante: _____, por favor.

C. En el restaurante

La cliente: Hola, camarero, ¿_____?

El camarero: En seguida, señorita. Aquí está. ¿Necesita la carta de

vinos también?

La cliente: No, gracias. ¿_____?

El camarero: Le recomiendo la paella valenciana. Es la especialidad

del cocinero.

La cliente: Y, ¿_____?

El camarero: La tarta de fresa. ¡Es muy sabrosa!

La cliente: ¿_____?

El camarero: Lo siento, pero solamente aceptamos cheques de viaje.

  Unidad 7 **97**

6 En el restaurante

Describa una comida en un restaurante. Éstas son algunas sugerencias:

¿Cuándo fue al restaurante? ¿Con quién? ¿Cuál era la ocasión? ¿Cómo se llamaba el restaurante? ¿Qué tipo de restaurante era? ¿Cuáles eran las especialidades? ¿Le sugirió algo el(la) camarero(a)? ¿Qué entremeses pidió? ¿Qué pidió de plato principal? ¿Qué pidió de postre? ¿Qué bebió? ¿Cómo estaba la comida? ¿Cómo fue el servicio? ¿Cómo pagó la cuenta? ¿Le dejó una buena propina al(a la) camarero(a)?

_____

_____

_____

_____

_____

_____

_____

_____

_____

_____

_____

_____

_____

SAN ANGEL INN

MENU

NUESTRO CHEF RECOMIENDA
Plato del día

TEMPORADA DE VERANO

Lunes
ENSALADA ESPAÑOLA

Martes
SALMÓN FRESCO
BELLA VISTA

Miércoles
VICHYCHOISSE

Jueves
PIMIENTOS DEL PIQUILLO

Viernes
MELÓN AL OPORTO

Sábado
MARISCADA

Estructuras gramaticales

A. El participio pasado y el presente perfecto del indicativo

1 En el restaurante

Complete las oraciones con el presente perfecto de los verbos entre paréntesis para describir lo que han hecho las siguientes personas.

1. (sentarse)   Nosotros _____ en una mesa en el patio.

2. (leer)   Ud. _____ el menú.

3. (escoger)   Yo _____ el cóctel de mariscos.

4. (traer)   El camarero _____ una botella de agua mineral.

5. (tomar)   Tú _____ una copita de jérez (glass of sherry).

6. (ser)   El servicio _____ excelente.

7. (estar)   Todos _____ satisfechos con la comida.

8. (dar)   Yo le _____ una buena propina a la camarera.

2 ¿Sí o no?

Lea las siguientes oraciones y complételas con el presente perfecto de los verbos entre paréntesis en la forma afirmativa o negativa. ¡Sea lógico(a)!

MODELO: ¡Qué hambre tienes! ¿ *No has almorzado* _____ hoy? (almorzar)

1. Nacho duerme todavía. _____ el despertador. (oír)

2. Estoy muy enojado conmigo mismo. _____ mis nuevas gafas de sol. (romper)

3. No, mi hermana no está en casa. Todavía _____ de la oficina. (volver)

4. ¡Cómo! ¡No sabes las noticias! ¿_____ el periódico? (leer)

5. Sí, sí, podemos salir contigo después de la una. _____ la tarea. (hacer)

6. ¿Por qué tienen Uds. vergüenza (shame)? ¿Es que _____ la verdad? (decir)

7. ¡Qué elegante está Beatriz! _____ un vestido muy bonito. (ponerse)

8. La ingeniera está muy contenta. _____ una solución al problema. (descubrir)

                                           Unidad 7   **99**

7

B. Los pronombres sujetos y preposicionales

3 Entre amigos

Complete las siguientes oraciones con la preposición entre paréntesis y el pronombre apropiado.

MODELO: Adela cree que Ramón es muy inteligente. Quiere salir _con él_. (con)

1. Creo que mi primo está enamorado de Carmen. Siempre piensa _____. (en)

2. Tengo dos entradas para el concierto. Lucía, ¿quieres ir _____? (con)

3. Felipe y Enrique, necesito hablar _____. (con)

4. Diego, ¿por qué tomaste mi nueva cámara? Estoy muy enfadado _____. (con)

5. Andrés espera a sus amigos. No va a salir _____. (sin)

6. ¿Dónde está Laura? Acaba de llegar un paquete _____. (para)

7. Sé que siempre dices la verdad. Tengo mucha confianza (trust) _____. (en)

8. Señora Montes, esa carta es _____. (para)

C. Los pronombres de complemento directo e indirecto

4 ¿Cuál pronombre?

Complete las siguientes oraciones con el pronombre de complemento directo o indirecto que represente a las personas entre paréntesis.

1. (Ud.) El mozo _____ trae una botella de agua mineral.

2. (nosotros) Uds. _____ sirven bien.

3. (la camarera) La Sra. Prado _____ da una buena propina.

4. (Clara y Anita) Yo _____ invité a cenar conmigo.

5. (tu abuela) ¿_____ escribiste para su cumpleaños?

6. (su hermana) ¿Qué _____ regaló Felipe por la Navidad?

7. (tus padres) ¿_____ ayudas con los quehaceres domésticos?

8. (el vecino) _____ prestamos la cortadora de césped.

9. (Uds.) No sé por qué sus amigos _____ critican tanto.

10. (la profesora) ¡Claro! Los estudiantes _____ admiran mucho.

11. (mis amigas) Por supuesto, ¡_____ quiero mucho!

12. (Uds.) Su jefe _____ paga un buen sueldo (salary).

13. (tú) El profesor _____ da mucha tarea para el fin de semana.

14. (los actores) Yo _____ hago muchas preguntas.

5 Relaciones personales

Lea las oraciones y diga lo que hacen o no hacen las siguientes personas para las personas indicadas en cursiva. Use los verbos entre paréntesis y el pronombre de complemento directo o indirecto en oraciones afirmativas o negativas.

MODELO: Felipe respeta a *sus amigos*.

(criticar) *No los critica* _____.

1. El camarero espera una buena propina de *Uds*.

   (servir) _____ bien.

   (traer) _____ el menú.

   (sugerir) _____ los platos más caros.

2. Antonio está enamorado de *Alicia*.

   (llamar) _____ por teléfono a menudo.

   (escribir) _____ cartas de amor.

   (dejar) _____ por otra chica.

3. Silvia desconfía *(mistrusts)* de *Ud*.

   (prestar) _____ dinero.

   (decir) _____ todo.

   (pedir) _____ consejos.

4. Al público le encanta la actuación de *esas actrices*.

   (chiflar) _____ .

   (aplaudir) _____ .

   (criticar) _____ .

5. Me llevo bien con *mis padres*.

   (ayudar) _____ con los quehaceres domésticos.

   (respetar) _____ .

   (enviar) _____ cartas cuando estoy de vacaciones.

6. La Sra. Álvarez está muy satisfecha con *su nuevo asistente*.

   (pagar) _____ un buen sueldo *(salary)*.

   (invitar) _____ al restaurante de vez en cuando.

   (dar) _____ trabajo aburrido.

6 ¿Por qué no?

Conteste las siguientes preguntas usando las expresiones entre paréntesis y la construcción infinitiva en oraciones afirmativas o negativas.

MODELO: ¿Por qué no arreglas tu cuarto?

(querer) _Porque no quiero arreglarlo_ ahora.

1. ¿Por qué no invitas a Alicia el viernes?

   (ir) _____ el sábado.

2. ¿Por qué no les escribes a tus tíos?

   (acabar de) _____.

3. ¿Por qué no haces la tarea?

   (tener tiempo para) _____.

4. ¿Por qué no reparas tu coche?

   (poder) _____ con esas herramientas (tools).

5. ¿Por qué no me visitas esta tarde?

   (pensar) _____ mañana.

6. ¿Por qué no devuelves esos libros hoy?

   (tener que) _____ antes del sábado.

7 En el restaurante

Ud. es el(la) dueño(a) de un restaurante. Sus auxiliares le preguntan lo que tienen que hacer. Contésteles usando el imperativo afirmativo y el pronombre de complemento apropiado.

MODELO: ¿Con qué lavo las legumbres?

Lávelas con agua fría.

1. ¿Dónde pongo la cerveza?

   _____ en la jarra.

2. ¿Cuándo sirvo el café?

   _____ después de los postres.

3. ¿Qué le traigo a la señora?

   _____ una botella de agua mineral.

4. ¿Dónde siento a esas señoritas?

   _____ en una mesa cerca de la ventana.

5. ¿Qué le sirvo a ese señor?

   _____ el aperitivo de la casa.

6. ¿Qué les recomiendo a esos turistas?

   _____ la paella valenciana.

7. ¿A qué temperatura sirvo el vino blanco?

   _____ bien frío.

E. *La construcción* me gusta

12 ¿Por qué?

Complete las siguientes oraciones con los verbos entre paréntesis para explicar por qué las siguientes personas hacen ciertas cosas. ¡Ojo! Las oraciones pueden ser afirmativas o negativas.

MODELO: Juanita pide solamente legumbres. (gustar)

A ella no le gustan los platos de carne.

1. El Sr. Domínguez cierra la ventana. (molestar)

_____ los ruidos de la calle.

2. Apago la televisión. (interesar)

_____ las noticias.

3. No compras la máquina de escribir. (faltar)

_____ cincuenta dólares.

4. Mis amigos van al doctor. (doler)

_____ el estómago.

5. Vamos a la ópera. (encantar)

_____ la música clásica.

6. Puedes caminar unos diez kilómetros más, ¿verdad? (doler)

_____ los pies.

7. La Sra. Madrigal tiene dinero, fama y cultura. (faltar)

_____ nada.

8. Uds. prefieren ir a un restaurante mexicano. (gustar)

_____ los platos picantes.

7

El cuadro mejor vendido

Palabras claves

1 Complete las siguientes oraciones con las palabras apropiadas del vocabulario en la página 211 de su texto. Haga los cambios que sean necesarios.

1. El artista fue a comprar más pintura y más _____ para continuar su trabajo.

2. La señora guardaba todo en un _____.

3. Piensa _____ todo su dinero para comprar el cuadro.

4. Estoy cansada de _____ pero no hay asientos libres.

5. Ya es de noche. La mujer va a encender las _____.

6. El _____ es cosa del pasado. Ahora los precios son fijos.

7. ¡Qué _____ más bello! Los volcanes que se ven a la distancia son espectaculares.

8. El estudiante no está preparado y ahora _____ por solucionar el problema de matemáticas.

Estructuras gramaticales

2 **El presente perfecto y el participio pasado**

El participio pasado puede usarse como adjetivo o puede usarse con el verbo **haber** para formar el presente perfecto. Busque los siguientes participios pasados y escriba el infinitivo que les corresponda. Luego, indique el uso.

Uso: **A.** adjetivo
        B. con **haber** (presente perfecto)

MODELO:

el título: _vendido_   infinitivo: _vender_   uso: _a_

1. línea 2: _____   infinitivo: _____   uso: _____

2. línea 4: _____   infinitivo: _____   uso: _____

3. línea 9: _____   infinitivo: _____   uso: _____

4. línea 17: _____ infinitivo: _____   uso: _____

5. línea 28: _____ infinitivo: _____   uso: _____

6. línea 37: _____ infinitivo: _____   uso: _____

7. línea 43: _____ infinitivo: _____   uso: _____

3 Los pronombres

Busque los siguientes ejemplos en el texto de la lectura y escriba los antecedentes de los pronombres.

MODELO: líneas 9–10: se le acercó   se: *reflexive (= la dueña)*
le: *al cuadro*

1. línea 11:	¿Puedo mirarlo?	lo:	_____
2. línea 13:	comparándolo con el paisaje	lo:	_____
3. línea 16:	donde lo hizo Dios	lo:	_____
4. línea 17:	usted ha puesto en ella	ella:	_____
5. línea 17:	que Él le dio.	le:	_____
6. línea 18:	¿Le gusta?	le:	_____
7. línea 20:	¿Por qué no me lo compra?	lo:	_____
8. línea 22:	yo se lo doy por cinco pesos.	se:	_____
		lo:	_____
9. líneas 26–27:	Tanto trabajo que le ha costado;	le:	_____
10. línea 29:	yo le doy a usted el dinero,	le:	_____
11. línea 31:	se lo vendo por cinco pesos.	se:	_____
		lo:	_____
12. línea 36:	se puso a contarlas	se:	_____
		las:	_____
13. líneas 37–38:	Mucho me ha costado juntarlos.	los:	_____
14. líneas 39–40:	nunca me cansaré de verlo.	lo:	_____

Mejore su español

4 Complete las siguientes frases con las expresiones que correspondan a las definiciones entre paréntesis.

1. Me gusta este camino _____. (donde hay mucha piedra)

2. Laurita llora porque está _____. (sintiendo mucha emoción)

3. Esa pulsera brilla porque es _____. (de color de plata)

4. La princesa _____ es la Bella Durmiente. (que está dormida)

5. Me parece que tu triunfo _____ mucho esfuerzo. (requiere)

6. Te _____ diez dólares de tus gastos. (quedan)

7. _____ que iremos juntas a España. (Imagínate)

8. Por primera vez, ayer _____ pensar en mi futuro. (empecé a)

7

Expansión: Modismos, expresiones y otras palabras

(I) la preposición **de** _____

of	la dueña **de** la casita	*the owner of the house (the house's owner)*
with	las lomas cubiertas **de** cactus	*hills covered with cactus*
	los volcanes **de** conos plateados	*volcanoes with silvery cones*
by (during)	**de** día y **de** noche	*by day and by night*
than (+ number)	más **de** cinco pesos	*more than five pesos*
in (superlative)	más famoso **del** mundo	*most famous in the world*

la preposición **en** _____

in	Los puso **en** el bolsillo.	*He put them in his pocket.*
on	Lo colgó **en** la pared.	*She hung it on the wall.*

(II) *free*   **libre**   *free, open, independent* (adjetivo)
Pintaron al aire **libre**.   *They painted in the open air.*

gratuito   *free (of charge)* (adjetivo)
Recibí dos entradas **gratuitas**.   *I got two free tickets.*

gratis   *(for) free, without asking for money* (adverbio)
No se lo dio **gratis**.   *He did not give it to her free.*

---

5   Complete en español las traducciones de las siguientes oraciones.

1. *I just met Rodrigo, Ernesto's cousin.*

   Acabo de conocer a Rodrigo, _____.

2. *He does not want anyone to see him and therefore he is leaving by night.*

   No quiere que nadie lo vea y por eso se va _____.

3. *If I count all the change, I have more than ten dollars.*

   Si cuento todas las monedas, tengo _____.

4. *I don't know which is the tallest building in the world.*

   No sé cuál es el edificio más alto _____.

5. *They won the lottery and are now filled with happiness.*

   Se ganaron la lotería y ahora están llenos _____.

6. *The child was seated on the floor.*

   El niño estaba sentado _____.

6   Complete con la forma apropiada de **libre**, **gratuito** o **gratis**.

1. Me dijeron que los niños no entraban _____ y que tenían que pagar media entrada.

2. Por ser reportero pudo conseguir billetes _____ para el ballet.

3. ¿Podría decirme si este asiento está _____?

Unidad 8

Escenas de la vida

En un consultorio

1 **Comprensión del texto e interpretación personal**

Lea otra vez el texto en las páginas 218–219 de su libro y conteste las siguientes preguntas.

1. ¿Qué trata de comunicarle al médico la señora?

_____

_____

_____

2. ¿Por qué no puede hacerlo?

_____

_____

_____

3. ¿Por qué examina a la señora el médico?

_____

_____

_____

4. ¿Qué le ocurrió al marido de la señora?

_____

_____

_____

5. Según Ud., ¿qué le va a hacer el médico al esposo? ¿Qué tipo de tratamiento le va a dar o recomendar?

_____

_____

_____

6. ¿Qué piensa Ud. del médico?

_____

_____

_____

2 Un caso particular

Un joven de unos doce años entra en el consultorio de una médica. Le explica a ella que no se siente bien y que sufre de un dolor de estómago tremendo. La médica le pregunta al joven cuáles enfermedades infantiles tuvo. Después lo examina cuidadosamente. Le toma la temperatura, lo ausculta, le toma una radiografía, pero no encuentra nada anormal.

Al final del examen el joven le dice a la médica que se siente un poco mejor y que no le duele tanto el estómago. Le dice también que solamente necesita un certificado médico para quedarse unos días en casa. Sospechando algo, la médica le pregunta al joven por qué necesita el certificado. Él admite que no ha estudiado para un examen muy importante y por eso no quiere ir a la escuela. Naturalmente la médica se enfada con él.

Imagínese el diálogo entre la médica y el joven.

⟨ *El español práctico* ⟩

1 ¡La palabra lógica!

Complete las siguientes oraciones con la palabra que convenga lógicamente.

1. A Juan le duelen mucho los oídos. Es posible que tenga _____.
   (sarampión / paperas / jarabe)

2. El médico me recetó gotas para _____.
   (los ojos / el dolor de cabeza / la rubeola)

3. Ricardo tiene bronquitis. El pobre _____ mucho.
   (estornuda / tose / se marea)

4. Aquí tienes un pañuelo para _____te la nariz.
   (soñar / sonar / sacar)

5. Tengo dolor de garganta y no puedo _____.
   (respirar / tragar / vomitar)

6. El enfermo estaba tan débil que _____.
   (se desmayó / se mejoró / sacó la lengua)

7. Alicia salió sin impermeable y ahora está _____.
   (resfriada / deprimida / cansada)

8. Roberto se rompió el brazo y ahora lleva _____.
   (una curita / un yeso / una venda)

9. El _____ le sacó una muela del juicio a la Sra. Iturbe.
   (dentista / cirujano / enfermero)

10. La enfermera me puso _____ porque me corté el pie.
    (píldoras / puntos / radiografía)

11. La doctora lo va a _____. Ud. tiene que respirar profundamente.
    (vendar / cuidar / auscultar)

12. Si Ud. no _____, tendrá que *(you will have to)* pedirle otra cita.
    (se mejora / se desmaya / se siente débil)

13. En el accidente, te _____ la cabeza contra
    el parabrisas *(windshield)*.
    (quemaste / torciste / golpeaste)

14. Felipe se cayó de bicicleta y se _____ la rodilla.
    (enyesó / hirió / vendó)

15. No es grave. Ud. tiene solamente _____.
    (un resfriado / una bronquitis / la mononucleosis)

Cuidamos su salud y tratamos su enfermedad

PROSALUD
INTERNATIONAL CLINIC
Director: Profesor AURELIO C. USON
Joaquín Mª López, 44 ☎ 449 10 50 · 28015 Madrid

2 ¿Por qué?

Conteste las siguientes preguntas con una respuesta lógica. (¡Hay muchas respuestas posibles!)

MODELO: ¿Por qué tomas aspirina?

Tengo un terrible dolor de cabeza.

1. ¿Por qué te recetó pastillas el doctor?

2. ¿Por qué el dentista le pone una inyección de novocaína al paciente?

3. ¿Por qué tose tanto Rafael?

4. ¿Por qué te tomó la temperatura la enfermera?

5. ¿Por qué auscultó al enfermo el doctor Sánchez?

6. ¿Por qué lleva una curita en la frente Luisa?

7. ¿Por qué anda con muletas Rodolfo?

8. ¿Por qué te puso puntos el doctor?

9. ¿Por qué llevas un yeso?

10. ¿Por qué tomas vitaminas?

11. ¿Por qué se siente tan cansada Adela?

12. ¿Por qué vas a ver al médico?

3 En el consultorio de la doctora Campos

A. Eduardo tiene los síntomas de una fuerte gripe. Se presenta en el consultorio de la doctora Campos. Complete el diálogo.

La doctora:	¿Cómo se siente?
Eduardo:	_____.
La doctora:	¿Se tomó la temperatura?
Eduardo:	Sí, y _____.
La doctora:	¿Dónde le duele?
Eduardo:	_____.
La doctora:	¿Tiene otros síntomas?
Eduardo:	Sí, _____
	y no puedo _____ cuando como.
La doctora:	¿Cuáles enfermedades infantiles tuvo?
Eduardo:	_____ y _____.
La doctora:	¡Está bien! Voy a examinarlo. Por favor, ¿puede _____?
	Bien. Y ahora _____.
Eduardo:	¿Es serio?
La doctora:	¡No! Tiene solamente una fuerte gripe. Voy a recetarle medicina y también _____ para la garganta.
	Ud. tiene que _____.

B. Otra paciente se presenta en el consultorio de la doctora. Es Aurelia, una jugadora del equipo femenino universitario de básquetbol. Durante el entrenamiento *(training)* se resbaló y se cayó. Ahora la pierna le duele muchísimo y la pobre chica no puede caminar sin la ayuda de sus compañeras.

La doctora:	¿Qué le pasó?
Aurelia:	_____.
La doctora:	¿Cómo se hirió la pierna?
Aurelia:	_____.
La doctora:	Voy a _____
	para saber si Ud. se la ha roto. ¡Pase por aquí por favor!

(unos minutos después)

La doctora:	Ud. tiene suerte. ¡No hay fractura! Pero se _____ el tobillo.
Aurelia:	¿Va _____ melo?
La doctora:	No, no necesita yeso, pero voy a ponerle una venda.
Aurelia:	¿ _____?
La doctora:	Sí, Ud. las necesita para caminar. Tiene que usarlas por unas dos semanas.

Unidad 8 113

4 Escenas de la vida

Conteste las siguientes preguntas según los dibujos.

1. ¿Dónde ocurre la escena?

_____

_____

2. ¿Qué le duele al señor?

_____

_____

3. ¿Qué va a hacerle la dentista?

_____

_____

4. ¿Qué va a hacerle después?

_____

_____

5. Según Ud., ¿cómo se siente el paciente? ¿Por qué?

_____

_____

6. ¿Dónde ocurre la escena?
_____
_____

7. ¿Con quién tienen cita los pacientes?
_____
_____

8. ¿Qué le duele a Pablo? ¿Qué lleva?
_____
_____

9. Según Ud., ¿qué le ocurrió a Pablo?
_____
_____

10. ¿Qué le duele a Antonio? ¿Qué lleva?
_____
_____

11. ¿Qué necesita Antonio para caminar?
_____
_____

12. Según Ud., ¿qué le ocurrió a Antonio?
_____
_____

13. Según Ud., ¿qué les va a hacer la doctora a los dos pacientes?
_____
_____

Estructuras gramaticales

A. *El uso del subjuntivo: emociones y sentimientos*

1 Actitudes

Describa las reacciones de las siguientes personas. ¡Ojo! Los verbos que van en el subjuntivo pueden ser afirmativos o negativos.

MODELO: el médico / temer // la paciente / mejorarse pronto

El médico teme que la paciente no se mejore pronto.

1. yo / alegrarse de que // Uds. / recuperarse del accidente de moto

_____

2. Antonio / sentir // sus padres / ser más generosos con él

_____

3. nosotros / lamentar // tú / poder salir con nosotros mañana

_____

4. el Sr. Ojeda / estar orgulloso de que // su hija / ganarse bien la vida

_____

5. yo / estar encantado(a) de que // Ud. / gozar de buena salud

_____

2 Emociones

Complete las siguientes oraciones con una expresión personal.

MODELO: Al médico, le molesta que los pacientes *coman demasiado (no se sientan mejor . . .).*

1. A los clientes les irrita que el camarero _____

_____

2. A la profesora le enoja que nosotros _____

_____

3. A Margarita le encanta que su novio _____

_____

4. A mis padres les desilusiona que yo _____

_____

5. A la jefa le enfada que los empleados _____

_____

6. A mí me gusta que mis amigos _____

_____

7. A mí me enoja que mi hermano menor _____

_____

B. El uso del subjuntivo con expresiones de duda

3 Opiniones diferentes

Las siguientes personas tienen opiniones sobre ciertos temas. Exprese sus
opiniones completando las oraciones con el indicativo o el subjuntivo. Justifique
sus opiniones.

1. ¿Son idealistas los jóvenes?
   Yo pienso que _____

   _____

   Mis padres dudan que _____

   _____

2. ¿Se mejora el paciente?
   La médica no está segura de que _____

   _____

   Las enfermeras creen que _____

   _____

   _____

3. ¿Tienen las mujeres más responsabilidades que antes?
   La Sra. de Castro niega que _____

   _____

   El Sr. Castro opina que _____

   _____

4. ¿Dicen siempre la verdad los políticos?
   Según el público, es improbable que _____

   _____

   Según los periodistas, es dudoso que _____

   _____

5. ¿Hay mucha desigualdad (inequality) en la sociedad moderna?
   Según los conservadores, no es verdad que _____

   _____

   Según los liberales, es cierto que _____

   _____

C. El uso del subjuntivo después de un pronombre relativo

4 ¿Indicativo o subjuntivo?

Complete las siguientes oraciones con el presente del indicativo o del subjuntivo de los verbos entre paréntesis.

1. ¿Hay alguna enfermera que _____ español? (hablar)

2. Buscamos a la enfermera que _____ francés. (hablar)

3. ¿Puedes darme el número de teléfono de la dentista que te _____ los dientes? (limpiar)

4. ¿Conoce Ud. un médico que _____ especialista en enfermedades infantiles? (ser)

5. El hospital busca enfermeros que _____ poner puntos. (saber)

6. El médico va a recetarle a Ud. unas pastillas que _____ muy buenas para la tos. (ser)

7. ¿Puede Ud. enseñarme el diente que le _____? (doler)

8. La doctora va a mostrarle las radiografías que _____ de tomar. (acabar)

9. No conozco otra medicina que _____ más eficaz contra la gripe. (ser)

10. ¿Dónde paro el tranvía que _____ al hospital? (ir)

11. Los científicos esperan descubrir una medicina que _____ el cáncer. (curar)

12. ¿Sabe dónde hay una farmacia que _____ muletas? (vender)

5 Expresión personal

Complete las oraciones con una expresión personal.

1. Tengo un amigo que _____

_____

_____

2. Busco un trabajo que _____

_____

_____

3. Quiero vivir en un apartamento que _____

_____

_____

4. No me gusta la gente que _____

_____

_____

5. Espero casarme con alguien que _____

_____

_____

D. El presente perfecto del subjuntivo

6 Sentimientos

Exprese con oraciones lógicas lo que sienten las siguientes personas por lo que han hecho o sentido las personas de la columna B. Use los verbos y expresiones de las columnas A y C. ¡Ojo! Los verbos de la columna C pueden ser afirmativos o negativos.

A	B	C
alegrarse de que	tú	divertirse
sentir que	Ud.	venir a la fiesta
deplorar que	Uds.	aburrirse
temer que	los pacientes	mejorarse
dudar que	nosotros	tener gripe
	los estudiantes	torcerse el tobillo
		romperse la pierna
		hacer la tarea
		comprender la pregunta

MODELO: *El profesor deplora que los estudiantes no hayan hecho la tarea.*

1. Yo _____

2. Elena _____

3. El cirujano _____

4. El enfermero _____

5. Mis amigos _____

6. El profesor _____

7 Dudas

Exprese las dudas de las siguientes personas.

MODELO: la víctima / ¿morir de un ataque de corazón?

El médico *duda que la víctima haya muerto de un ataque de corazón.*

1. tú / ¿devolver los libros?

   La bibliotecaria *(librarian)* _____

2. los chicos / ¿ver marcianos *(Martians)*?

   La policía _____

3. nosotros / ¿decir la verdad?

   Los periodistas _____

4. Shakespeare / ¿escribir estos poemas?

   Los críticos literarios _____

5. el pájaro / ¿abrir la puerta de la jaula *(cage)* por sí mismo?

   Yo _____

6. yo / ¿poner la mesa?

   Mi hermano _____

El zorro que se hizo el muerto

Palabras claves

1 Complete las siguientes oraciones con las palabras apropiadas del vocabulario en la página 238 de su texto. Haga los cambios que sean necesarios.

1. El Sr. Ramos no enseña inglés. Él es el _____ estudiantil de este colegio.

2. Dudo que tengas _____ en cada uno de los países latinoamericanos. Pero creo que tienes una familia enorme.

3. ¡Tócale la _____ al niño! Tiene una temperatura muy alta.

4. Según una vieja superstición, dicen que el pelo de la _____ del zorro cura resfriados.

5. Marisol, no llores. El actor del drama no está muerto. Simplemente,

   _____.

6. La enfermera le pide al paciente que se quede _____ para poder tomarle las radiografías.

7. El bombero _____ su vida para salvar del fuego a la señora que está en silla de ruedas.

8. ¡Qué horror! ¿Por qué te cortaron tanto el pelo? Estás _____.

9. El perro le _____ el dulce al niño ayer.

10. ¡Nunca hagas _____ a otro!

Estructuras gramaticales

2 ¿Indicativo o subjuntivo?

Complete las siguientes oraciones según el texto. Indique si el verbo está en
el indicativo o en el subjuntivo y por qué. Luego, dé el infinitivo.

    A. *indicativo:* expresión de certeza
    B. *indicativo:* después de un pronombre relativo: existencia cierta
    C. *subjuntivo:* expresión de emoción o sentimiento
    D. *subjuntivo:* expresión de duda
    E. *subjuntivo:* después de un pronombre relativo: existencia dudosa

MODELO: líneas 51–52: despojándole . . . de las tierras que __cultiva__ . . .
                  uso: __B__ infinitivo: __cultivar__

1. líneas 5–6:   tiene miedo de que sus vecinos poderosos le _____
                      sus tierras . . .

                      uso: _____ infinitivo: _____

2. líneas 6–7:   Él se enoja de que lo _____ y lo _____ . . .

                      uso: _____ infinitivos: _____ , _____

3. líneas 10–11: Lamento que su hermano _____ que sufrir estos problemas.

                      uso: _____ infinitivo: _____

4. línea 12:   Creo que _____ un buen ejemplo . . .

                      uso: _____ infinitivo: _____

5. línea 39:   vino un hombre que _____ . . .

                      uso: _____ infinitivo: _____

6. línea 48:   A las personas que _____ hacerle daño . . .

                      uso: _____ infinitivo: _____

Mejore su español

3 Complete con las expresiones apropiadas de la lista que está en la página 244
de su texto, haciendo los cambios que sean necesarios. Preste atención a los
tiempos de los verbos.

1. Yo _____ ir al mercado todos los sábados.

2. Hoy vamos a _____ ese letrero.

3. El enfermo _____ lentamente para comer.

4. Creo que tú _____ de lo que pasa.

5. Isabel _____ los celos de su novio.

6. Uds. _____ salvarse del naufragio el año pasado.

7. _____ llover. ¡Mira qué nublado está el cielo! ¡Y qué viento hace!

                      Unidad 8   **121**

Expansión: *Modismos, expresiones y otras palabras*

(I) **de tanto** (+ infinitivo) *because of so much (+ . . . ing)*
por esto *because of this*
todo el mundo *everybody*

(II) *to save* **salvar** *to save, rescue*
Debe luchar para **salvar**   *He must fight to save*
su honor.   *his honor.*

salvarse la vida *to save one's life*
Logró **salvarse la vida**.   *He managed to save his (own) life.*

ahorrar *to save* (money), *put aside*
Ahorró sus fuerzas.   *He saved his strength.*

to move **moverse** *to move* (one's body), *move around*
El zorro no **se movía**.   *The fox did not move.*

mudarse *to move* (to a new residence)
¿Por qué van a **mudarse**?   *Why are they going to move?*

4 Complete las siguientes oraciones con las expresiones apropiadas.

1. Estábamos muertos de cansancio _____ caminar.

2. En la fiesta _____ se divirtió muchísimo.

3. No iré al concierto _____ que te acabo de contar.

5 Escoja y escriba la palabra que convenga en cada oración.

1. Yo siempre _____ diez dólares por semana. (ahorro / salvo)

2. Ellos _____ a los niños del fuego. (ahorraron / salvaron)

3. Juan pudo _____ la vida en el desastre aéreo. (salvarse / ahorrar)

4. Piensan _____ a otro apartamento. (moverse / mudarse)

5. El _____ es un hábito muy bueno. (salvar / ahorrar)

6. La manecilla *(hand)* del reloj _____ lentamente. (se movió / se mudó)

Unidad 9

◖ Escenas de la vida ◗

El corbatín

1 Comprensión del texto e interpretación personal

Lea otra vez el texto en las páginas 246–249 de su libro y conteste las siguientes preguntas.

1. ¿Qué piensa Ud. del dependiente? ¿Es hábil? ¿Es honesto? Explique.

_____

_____

_____

_____

2. Al regresar a casa, Óscar Áviles se da cuenta de que se ha olvidado de comprar el corbatín y ahora las tiendas están cerradas. Según Ud., ¿qué va a hacer Óscar Áviles para ir a la fiesta de gala?

_____

_____

_____

_____

_____

3. ¿Cómo imagina Ud. la fiesta de gala? ¿Cómo es el Club Atlántico? ¿Qué llevan las personas que asisten a la fiesta?

_____

_____

_____

_____

4. Según Ud., ¿cuándo va a ponerse Óscar la ropa que acaba de comprar? ¿Cómo van a reaccionar las personas que lo vean?

_____

_____

_____

_____

2 El vestido

Mariluz, una chica de 17 años, ha recibido dinero de sus tíos para su cumpleaños. Con el dinero decide comprarse un vestido de moda. Va a un gran almacén pero no encuentra ningún vestido del estilo que le gusta.

Al verla decepcionada *(disappointed),* una dependiente muy amable se acerca a Mariluz y le muestra otros estilos de ropa y artículos personales (faldas, blusas, pantalones, guantes, cinturones, etc.). Le explica que están de moda, insistiendo en el estilo, los colores y sobre todo, el precio ("¡Ay! pero estos precios, son verdaderas gangas, y para Ud., señorita, voy a rebajarlos un poco más.").

Pero Mariluz sabe exactamente lo que necesita y no se deja convencer con los argumentos de la amable dependiente.

Imagínese el diálogo entre la dependiente y Mariluz.

_____

_____

_____

_____

_____

_____

_____

_____

_____

_____

_____

_____

_____

_____

124 *Escenas de la vida*

《 *El español práctico* 》

1 El intruso

En cada serie hay una palabra que no pertenece al grupo. Búsquela y márquela
con un círculo.

1. chaleco	cuello	abrigo	chaqueta
2. vestido	blusa	bufanda	traje sastre
3. gorra	boina	falda	sombrero
4. pantuflas	paraguas	botas	sandalias
5. tacón	bolsillo	cordones	suela
6. llavero	corbatín	bufanda	pañuelo
7. billetera	monedero	anillo	portamonedas
8. aretes	pendientes	guantes	pulsera
9. terciopelo	piel	pana	algodón
10. estampado	anaranjado	morado	pardo
11. lana	poliéster	seda	lino
12. mostrador	escaparate	ganga	vitrina

2 El sustantivo apropiado

Complete las oraciones con el sustantivo apropiado.

1. En el verano, prefiero llevar camisas de _____ corta.

2. No puedo abrocharme *(to button)* el cuello de la camisa. Le falta un

   _____ .

3. ¿Es de oro el _____ que le regaló su novio?

4. Aquí tienes un _____ para sonarte la nariz.

5. El vaquero *(cowboy)* lleva un cinturón con una hermosa _____ de

   plata.

6. Si tienes frío en las manos, tienes que comprarte _____ .

7. El Sr. Rojas saca su _____ para pagar la cuenta.

8. ¡No tienes impermeable! Entonces, tienes que usar un _____ .

9. Al regresar a casa, la Sra. León se quita los zapatos y se pone las

   _____ .

10. Los zapatos deportivos tienen suelas de _____ .

11. ¡Vamos a las Galerías Modernas! Esta semana hay una gran _____ y

    toda la ropa está rebajada un 30 por ciento.

12. Este suéter cuesta solamente diez dólares. ¡Es una verdadera _____ !

3 De compras

Conteste las siguientes preguntas según los dibujos.

ARTÍCULOS DE PIEL

1. ¿En qué sección del gran almacén ocurre la escena?

_____

_____

2. ¿Qué ropa lleva el señor?

_____

_____

_____

3. ¿Qué tipo de joyas (jewelry) lleva la dependiente?

_____

_____

_____

4. ¿Qué quiere comprar el señor? En su opinión, ¿para quién quiere comprar este artículo?

_____

_____

_____

5. ¿Qué artículos hay en el mostrador?

_____

_____

_____

6. ¿En qué sección ocurre la escena?

_____

_____

7. ¿Qué se prueba el señor?

_____

_____

8. ¿Cuál es el diseño de la chaqueta? ¿y del pantalón?

_____

_____

9. ¿Cómo le queda la chaqueta al señor? ¿y el pantalón?

_____

_____

10. ¿Cuánto cuestan las chaquetas y los pantalones? ¿Cuánto costaban antes?

_____

_____

_____

11. Según Ud., ¿qué va a hacer el señor? ¿Por qué?

_____

_____

_____

4 Diálogos

Complete los diálogos entre un(a) dependiente y un(a) cliente, de una manera lógica.

A. *En la camisería*

Dependiente: ¿ _____ ?

Cliente: Quisiera comprar una camisa.

Dependiente: ¿ _____ ?

Cliente: Uso talla 37.

Dependiente: ¿ _____ ?

Cliente: No, prefiero una de un solo color.

B. *En la tienda de ropa para damas*

Cliente: ¿ _____ ?

Dependiente: No, señora. Es de seda.

Cliente: ¿ _____ ?

Dependiente: Solamente 10.000 pesetas. A ese precio, es una ganga.

Cliente: ¿ _____ ?

Dependiente: Sí, cómo no. El probador *(dressing room)* está al fondo del pasillo.

C. *En la zapatería*

Dependiente: ¿ _____, señor?

Cliente: _____ de zapatos pardos.

Dependiente: ¿ _____ ?

Cliente: Treinta y nueve.

Dependiente: ¿ _____ ?

Cliente: Sí, quisiera probármelos.

Dependiente: ¿ _____ ?

Cliente: ¡Ay, no! Me aprietan mucho. ¿Puede _____

_____ ?

Dependiente: Lo siento mucho, pero en este estilo no nos quedan números
más grandes.

5 A Ud. le toca

Imagínese que Ud. está en las siguientes situaciones. Exprésese en español.

1. *You want to buy a shirt. Give the clerk your size and tell him/her what color, what design and what style you prefer.*

_____

_____

2. *You have been trying on a jacket. Tell the clerk that it fits you well but that it is too expensive. Ask him/her when there is going to be a sale.*

_____

_____

Estructuras gramaticales

A. El uso del artículo como sustantivo

1 En el almacén

Complete las oraciones en el pretérito usando el artículo definido y **de** o **que** (¡solamente cuando sea necesario!).

MODELO: Elena compró el abrigo de cuero.

Tú _compraste el de_ _____ piel.

1. Felipe se probó los pantalones azules.

Yo _____ grises.

2. Ernesto escogió la corbata de bolitas.

Tú _____ florecitas.

3. Carmen pasó por la tienda que vende zapatos deportivos.

Nosotros _____ vende sandalias.

4. Fernando habló con los dependientes que hablan inglés.

Yo _____ hablan español.

5. Yo escuché el disco de Julio Iglesias.

Ud. _____ Plácido Domingo.

6. Nosotros compramos los zapatos italianos.

Uds. _____ franceses.

7. Rosario vendió el traje de lana.

Tú _____ lino.

8. Eduardo y Pablo miraron los cinturones caros.

Nosotros _____ baratos.

2 Por favor

Pídale a un amigo que haga ciertas cosas para Ud.

MODELO: ¿Compraste algo?   (mostrar) _Muéstrame lo que compraste._

1. ¿Dijiste algo?   (repetir)   _____
2. ¿Hiciste algo?   (contar)   _____
3. ¿Viste algo?   (describir) _____
4. ¿Trajiste algo?   (dar)   _____
5. ¿Leíste algo?   (explicar) _____
6. ¿Te probaste algo?   (enseñar)   _____
7. ¿Decidiste algo?   (decir)   _____
8. ¿Reconociste algo?   (dibujar)   _____

B. El adjetivo y pronombre interrogativo ¿cuál?
C. Los adjetivos y pronombres demostrativos

3 Minidiálogos

Complete los diálogos según los modelos.

MODELOS:

¿Te gustan los zapatos?

¿_Cuáles_____?

_Aquéllos___ allá en la vitrina.

¿Vas a comprar el vestido?

¿_Cuál_____?

_Éste_____ de aquí.

1. ¿Te gustan las cadenas?

¿_____?

_____ allí en el escaparate.

2. ¿Has visto los pendientes que quiero comprar?

¿_____?

_____ en la vitrina.

3. ¿Quiere Ud. probarse el suéter?

¿_____?

_____ allí en el mostrador.

4. ¿Necesitas los libros?

¿_____?

_____ de tu estante.

5. ¿Te gusta la cartera?

¿_____?

_____ que estás mirando.

6. ¿Te gusta el anillo?

¿_____?

_____ que acabo de comprar.

D. Los adjetivos y pronombres posesivos

4 Cada uno a su gusto

Complete las siguientes oraciones.

MODELO: Jorge compra sus camisetas en una tienda de lujo.

Yo _compro las mías_____ en un gran almacén.

1. Marta lava sus suéteres a mano.

Tú _____ en la lavadora.

2. Tú haces tus ejercicios aeróbicos antes del desayuno.

Yo _____ después de la cena.

3. Yo escribo mis cartas a máquina.

La Sra. Fonseca _____ con un procesador de textos (word processor).

4. Nosotros pasamos nuestras vacaciones en México.

Mis primos _____ en el Perú.

5. Yo decoré mi cuarto con carteles (posters).

Uds. _____ con retratos de actores famosos.

6. Los vecinos pintaron su casa de gris.

Nosotros _____ de blanco.

5 ¿De quién es?

Complete los diálogos con los adjetivos y pronombres posesivos apropiados.

MODELO: — ¡Hola, Carlos! ¿Son *tuyos* los zapatos?

— No, *los míos* son negros.

1. — ¡Hola, Clara! ¿Es _____ el suéter amarillo?

   — No, _____ es morado.

2. — ¡Disculpe, señora Vásquez! ¿Son _____ los guantes?

   — No, _____ son de piel.

3. — ¡Disculpe, señor Cataldo! ¿Es _____ la bufanda?

   — No, _____ está en el armario.

4. — ¡Hola, Ernesto y Roberto! ¿Son _____ los zapatos deportivos?

   — No, _____ son más grandes.

5. — ¡Hola, Esteban! ¿Es _____ la bicicleta?

   — No, _____ está en el garaje.

6. — ¡Perdóneme, profesora Hidalgo! ¿Son _____ los libros?

   — No, _____ están en el estante.

E. Las comparaciones
F. El superlativo

6 Comparaciones

Haga comparaciones con los adjetivos entre paréntesis. Las oraciones pueden ser afirmativas o negativas.

MODELO: El azul *es menos (no es tan) vistoso que (como)* el rojo. (vistoso)

1. Las corbatas a rayas _____

   las de florecitas. (elegante)

2. El abrigo de piel _____

   el de lana. (caro)

3. Las zapatillas de tela _____

   las de cuero. (durable)

4. En el verano, las camisas de manga larga _____

   las de manga corta. (cómodo)

5. Los productos electrónicos norteamericanos _____

   los japoneses. (económico)

6. En el invierno, el clima de Nuevo México _____

   el de Alaska. (bueno)

7. La comida mexicana _____

   la comida china. (bueno)

7 En su opinión

Conteste las siguientes preguntas según el modelo.

MODELO: ¿Es Nueva York una ciudad grande? (el mundo)

Sí, es la más grande del mundo.

Sí, pero no es la más grande del mundo.

1. ¿Es marzo un mes frío? (el año)

_____

_____

_____

2. ¿Es California un estado bonito? (los Estados Unidos)

_____

_____

_____

3. ¿Es Meryl Streep una actriz brillante? (el cine norteamericano)

_____

_____

_____

4. ¿Es Mark Twain un autor famoso? (la literatura norteamericana)

_____

_____

_____

5. ¿Es un buen equipo los Mets? (la Liga Nacional)

_____

_____

_____

6. ¿Es Ud. un(a) buen(a) estudiante? (la clase)

_____

_____

_____

MICRO MUNDO
Es la Revista de Computadores más leída en Colombia

8 Comparaciones

Compare las personas
a la derecha según
el modelo.

personas	edad	profesión	sueldo mensual *(pesetas)*	situación familiar
la Srta. Otero	25 años	abogada	150.000	soltera
el Sr. Pascual	32 años	pintor	80.000	2 hijos
la Sra. Iturbe	26 años	programadora	100.000	1 hija
el Sr. Ruiz	43 años	mecánico	70.000	5 hijos

MODELO: tener una profesión interesante

(el Sr. Ruiz / la Sra. Iturbe) *El Sr. Ruiz tiene una profesión más (menos) interesante que la de la Sra. Iturbe.*

(de las cuatro personas) *El Sr. Pascual es el que tiene la profesión más interesante. La Sra. Iturbe es la que tiene la profesión menos interesante.*

1. tener un trabajo difícil

(el Sr. Pascual / la Srta. Otero) _____

_____

(de las cuatro personas) _____

_____

_____

2. ganar un buen sueldo

(la Sra. Iturbe / el Sr. Pascual) _____

_____

(de las cuatro personas) _____

_____

_____

3. tener una familia grande

(el Sr. Pascual / el Sr. Ruiz _____

_____

(de las cuatro personas) _____

_____

_____

4. ser joven

(la Srta. Otero / la Sra. Iturbe) _____

_____

(de las cuatro personas) _____

_____

_____

El ratoncito

Palabras claves

1 Complete las siguientes oraciones con las palabras apropiadas del vocabulario en la página 272 de su texto. Haga los cambios que sean necesarios.

1. Los padres se sentían felices el día del _____ de su hija.

2. Mi _____ Gustavo es el marido de mi hija Clotilde.

3. La señora Menoscal quiere que sus dos hijas busquen _____ inteligentes y de buena familia.

4. Cuando está enojado, el gato _____.

5. Los prisioneros _____ un túnel para escaparse de la cárcel (*jail*).

6. Manuel tiene mucho sueño y por eso _____.

7. A los _____ les gusta el queso.

8. Los parientes vinieron de todas partes para asistir a la _____ de Ana y Rafael.

Estructuras gramaticales

2 Los adjetivos y pronombres demostrativos

Complete las siguientes oraciones según el texto. Luego identifique la palabra escrita.

    A. adjetivo demostrativo: precede un sustantivo
    B. pronombre demostrativo: con antecedente
    C. pronombre demostrativo neutro: no tiene antecedente específico

1. línea 1: _____ que le voy a contar . . .   **A B C**

2. línea 8: Bueno, cuéntame _____ historia.   **A B C**

3. línea 15: A _____ le faltaba cola . . .   **A B C**

4. línea 27: Oyeron _____ . . .   **A B C**

5. línea 44: De ahí viene _____ de las tapias . . .   **A B C**

3 El superlativo

Lea otra vez el cuento y busque las palabras que completen las siguientes oraciones. Luego indique qué tipo de superlativo es.

    A. superlativo regular   **B.** superlativo absoluto

1. línea 11:   . . . era la ratita _____ del mundo.   **A B**

2. línea 17:   . . . para el _____ oficio de marido.   **A B**

3. líneas 21–22: . . . tenemos una hija _____.   **A B**

4. línea 22:   Es la ratita _____ que ha nacido . . .   **A B**

5. línea 53:   . . . era el ser _____ del mundo.   **A B**

Mejore su español

4 Dé una definición en español de las palabras en cursiva. ¿Qué significado añade *(adds)* la terminación diminutiva o aumentiva?

1. El *chiquillo* se sentía feliz con sus amigos. _____

2. La cocinera nos dijo que prepararía

   unos *panecitos* muy sabrosos. _____

3. De esas *florecitas* hacen un perfume muy

   costoso *(costly)*. _____

4. Ha perdido un *botoncito* de la camisa. _____

5. Me escribió una *cartota* de diez páginas. _____

6. Todos se reían de la *narizota* del payaso *(clown)*. _____

7. Ernestito me miraba con esos *ojotes* bellos. _____

8. Cuando la niña habló, se notó que tenía

   una *vocecita* muy suave. _____

9. El *pajarillo* regresaba a su nido *(nest)*

   al anochecer. _____

Expansión: Modismos, expresiones y otras palabras

(I) unas expresiones con **por**

por allí *over there*		**por desgracia** *unfortunately*	
por encima de *above*		**por lo común** *generally*	
por viejo *because of (old) age*		**por lo visto** *apparently*	

(II) *to tell* **decir** *to tell* (general term)
   ¡No me **digas** mentiras!   *Don't **tell** me lies!*

   contar *to tell* (a story, a joke)
   ¡**Cuénta**me esa historia!   ***Tell** me that story!*

   divulgar *to tell* (a secret), *reveal*
   ¿**Divulgaste** el secreto?   ***Did you tell** the secret?*

about **sobre** *about, concerning*
   Es un libro **sobre** gatos.   *It is a book **about** cats.*

   de *about, concerning*
   Doña Rata habla **de** su hija.   *Doña Rata talks **about** her daughter.*

   unos, unas *about, approximately* (with numbers)
   Leí **unas** veinte páginas.   *I read **about** twenty pages.*

to be about **tratarse de** *to be about, deal with*
   Se trata de la historia de un   *It is **about** the story of a*
   casamiento.   *wedding.*

5 Escoja la expresión que mejor convenga y márquela con un círculo.

1. Por desgracia / Por lo común / Por encima de

   . . . perdí mi billetera con todo mi dinero y no tengo ni un centavo.

2. Por lo visto / Por desgracia / Por encima de

   . . . todo Julián ganará la elección.

3. Por allí / Por lo visto / Por vieja

   . . . Marisol va a graduarse este año con honores.

4. Por allí / Por viejo / Por encima de

   . . . el pobre perro no tiene energía.

6 Dé el equivalente en español de las siguientes frases.

1. *You're not going to tell the end of the story!*

   ¡No vas a _____ el final del cuento!

2. *Do you want to tell us a joke?*

   ¿Quieres _____nos un chiste?

3. *Tell the doctor how sick you are.*

   _____le al médico lo enfermo que estás.

4. *It is about the story of her life.*

   _____ la historia de su vida.

5. *It's a magazine about sports.*

   Es una revista _____ deportes.

6. *I walked about five miles.*

   Caminé _____ cinco millas.

7. *She is talking about her success.*

   Habla _____ su éxito.

8. *We will talk about that issue later.*

   Hablaremos _____ ese asunto más tarde.

Unidad 10

Escenas de la vida

Con destino a Santiago

1 **Comprensión del texto e interpretación personal**

Lea otra vez el texto en las páginas 280–283 de su libro y conteste las siguientes preguntas.

1. ¿Qué tipo de trabajo tiene el Sr. Buendía?

_____

_____

2. ¿Qué recado (*message*) le da el Sr. Buendía a la enfermera para su esposa?

_____

_____

3. ¿Por qué decide regresar a casa por avión el Sr. Buendía?

_____

_____

4. Según el Sr. Buendía, ¿por qué le pide el pasaporte la empleada de Iberia?

_____

_____

5. En realidad, ¿por qué le pide el pasaporte al Sr. Buendía la empleada de Iberia?

_____

_____

6. ¿Por qué se sorprende el Sr. Buendía al ver los picos nevados?

_____

_____

_____

7. ¿Cómo le explica a su esposa su presencia en Chile el Sr. Buendía?

_____

_____

_____

8. Según Ud., ¿qué tipo de persona es el Sr. Buendía? ¿Y la Sra. de Buendía?

_____

_____

_____

_____

2 Otra equivocación

Rafael Robles es un joven argentino que va a pasar unos meses en la Universidad de Boston en un programa de intercambio. Al llegar a Nueva York, Rafael va a la estación de autobuses y pide un boleto para Boston. Por desgracia el empleado, que es un poco sordo *(hard of hearing)*, no lo entiende bien. En vez de venderle un boleto para Boston, Massachusetts, le vende uno para Houston, Texas.

Rafael sube al autobús que le ha indicado el empleado, pensando que estará en Boston dentro de cuatro o cinco horas. Rendido de su viaje largo, escoge un asiento, se sienta y muy pronto se queda profundamente dormido. Al despertar unas doce horas más tarde, se sorprende de que el autobús siga en marcha *(moving along)*. Abre los ojos y por la ventanilla ve una serie de colinas *(hills)* elevadas, un paisaje que no se parece nada al de Massachusetts. El pobre joven le pregunta a la pasajera que está a su lado dónde están. Ella le explica que están cruzando el estado de Tennessee y que pronto llegarán a Chattanooga. Rafael saca su boleto de autobús de su billetera y comprende la equivocación.

Al día siguiente, le escribe una carta a su novia Carmen explicándole lo que ocurrió. Escriba esta carta, usando su imaginación.

Querida Carmen,
  ¡No vas a creer lo que me ha ocurrido!

〈 El español práctico 〉

1 El verbo apropiado

Complete las siguientes oraciones con los verbos apropiados del *Vocabulario temático* en las páginas 285–288 de su libro.

1. El tren de Córdoba _____ media hora de retraso.

2. No, el tren para Bogotá no es directo. Ud. tiene que _____ en Medellín.

3. Lo siento, pero Ud. no puede llevar sus maletas en el avión. Tiene que _____ las.

4. Aquí tiene sus comprobantes. Los necesitará para _____ su equipaje.

5. Los pasajeros van a _____ el avión por la puerta 8.

6. ¡Qué ruido hacen los motores! El avión está a punto de _____.

7. Durante el despegue, los viajeros deben _____ el cinturón de seguridad.

8. Durante el viaje, vamos a _____ el Océano Atlántico.

9. El avión de Buenos Aires va a _____ en la pista (*runway*) 24 dentro de diez minutos.

10. Después del _____, los pasajeros deben pasar por la aduana.

2 Lo que hacen

Explique lo que hacen las siguientes personas usando su imaginación.

MODELO: En el andén número 5, nosotros *esperamos el tren para Barcelona.*

1. En la oficina de información, Gloria _____

2. En la consigna, Uds. _____

3. En el mostrador de AeroMéxico, yo _____

4. En la sala de reclamación de equipaje, la Sra. Pineda _____

5. En la puerta 18, la agente de Iberia _____

   Los pasajeros _____

6. En el avión, la azafata _____

   Nosotros _____

3 De viaje

Conteste las siguientes preguntas según los dibujos.

1. ¿Dónde ocurre la escena? ¿Cómo se llama la compañía aérea?

   _____

   _____

2. ¿Qué le pide al viajero la agente?

   _____

   _____

3. ¿Adónde va el viajero? Según el horario, ¿cuándo va a despegar su avión? ¿Cuánto tiempo tiene que esperar en la sala de espera?

   _____

   _____

4. ¿En qué consiste el equipaje del viajero? ¿Va a facturarlo?

   _____

   _____

5. Según el horario, ¿a qué hora debía llegar el avión de Nueva Orleáns? ¿Cuántos minutos de retraso lleva ahora?

   _____

   _____

6. ¿Qué avión va a despegar a las diez? ¿Qué avión va a aterrizar a la misma hora?

   _____

   _____

7. ¿Dónde ocurre la escena?

_____

_____

8. ¿Por qué hacen cola los viajeros?

_____

_____

9. ¿Qué hacen los viajeros del andén A? ¿Adónde van? ¿Cuándo va a salir su tren?

_____

_____

10. ¿Qué quiere hacer Luis? ¿Adónde va? ¿De qué andén sale su tren? Según Ud., ¿va a perderlo o no? ¿Por qué? ¿Qué va a hacer?

_____

_____

_____

11. ¿Qué hacen los viajeros del andén B? ¿Cuántos minutos de retraso lleva su tren?

_____

_____

_____

4 ¡Buen viaje!

Un empleado contesta las preguntas que le hacen varios viajeros. Lea las respuestas del empleado atentamente y escriba las preguntas de los viajeros. Use su imaginación.

MODELO: Viajero: ¿*Puede decirme de dónde sale el tren para Bogotá?*
         Empleado: Sale del andén C.

1. Viajero A: _____

    _____

    _____

    Empleado: Puede depositarlas en la consigna.

2. Viajero B: _____

    _____

    _____

    Empleado: 28.000 pesetas en primera clase y solamente 20.000 pesetas en clase turista.

3. Viajero C: _____

    _____

    _____

    Empleado: Se venden en la ventanilla 12.

4. Viajero D: _____

    _____

    _____

    Empleado: A las diez y media por la puerta 4.

5. Viajero E: _____

    _____

    _____

    Empleado: Sí, Ud. tiene que reservarlo con dos semanas de anticipación (*in advance*) para obtener la tarifa (*fare*) reducida.

6. Viajero F: _____

    _____

    _____

    Empleado: Tiene que presentársela al agente al abordar el avión.

7. Viajero G: _____

    _____

    _____

    Empleado: Ud. los necesitará al recoger sus maletas.

8. Viajero H: _____

    _____

    _____

    Empleado: No, hace escala en Quito.

5 A Ud. le toca

Imagínese que Ud. se encuentra en las siguientes situaciones. Exprésese en español.

1. *You are at the Chamartín station in Madrid. Ask for a one-way train ticket, second-class, to Sevilla. Ask when the next train leaves and from which platform.*

   _____
   _____
   _____
   _____
   _____
   _____

2. *You are in a travel agency. Reserve a round-trip plane ticket to Guayaquil. Ask how long the flight is and say that you would like to have a seat next to the window in the non-smoking section.*

   _____
   _____
   _____
   _____
   _____
   _____

3. *You are working at the counter of Avianca, the Colombian national airline. Tell a passenger that her flight to Buenos Aires leaves at 11:35 from Gate 15. Tell her also that there is a stop in La Paz. Give her her boarding pass and her baggage claim checks.*

   _____
   _____
   _____
   _____
   _____
   _____

4. *You are the captain of AeroMéxico flight 26 which flies from Mexico City to Santiago, Chile. Welcome your passengers aboard. Tell them that the flight will last 6 hours and that you will be flying over the Andes. Ask the passengers to fasten their seatbelts and to refrain from smoking.*

   _____
   _____
   _____
   _____
   _____
   _____

Estructuras gramaticales

A. El futuro

1 ¿Lo harán o no?

Diga si las siguientes personas harán o no lo que está indicado entre paréntesis.

MODELO: Marcos se da prisa.

(perder) _No perderá_ el tren.

1. Uds. toman demasiado café.

   (tener) _____ sueño.

   (dormir) _____ bien.

2. Tengo un dolor de cabeza tremendo.

   (quedarse) _____ en casa esta noche.

   (salir) _____.

3. Mis amigos salen de viaje mañana por la mañana.

   (reservar) _____ sus asientos esta tarde.

   (hacer) _____ las maletas esta noche.

4. Llamas a la oficina de información.

   (saber) _____ a qué hora sale el tren.

   (llegar) _____ con retraso a la estación.

5. Vamos a aterrizar dentro de cinco minutos.

   (poner) _____ el equipaje de mano debajo de nuestros asientos.

   (dar) _____ un paseo por el pasillo.

6. Mi prima está enferma.

   (venir) _____ a mi fiesta de cumpleaños mañana.

   (ir) _____ de viaje este fin de semana.

7. Soy muy franco.

   (decir) Te _____ la verdad.

   (explicar) Te _____ lo que ocurrió.

8. Los turistas están cansados.

   (poder) _____ descansar en el hotel.

   (querer) _____ visitar el museo por la tarde.

2 Consecuencias

Diga lo que ocurrirá si las siguientes personas hacen ciertas cosas.

MODELO: Ud. / tomar dramamina / ¿marearse?

Si Ud. toma dramamina, no se mareará.

1. tú / llegar a la estación adelantado / ¿perder el tren?

_____

_____

2. Uds. / facturar sus maletas / ¿tener que llevarlas consigo?

_____

_____

3. yo / reservar con anticipación *(in advance)* / ¿poder escoger un asiento al lado de la ventanilla?

_____

_____

4. la Sra. Cuevas / viajar en primera clase / ¿estar más cómoda?

_____

_____

5. nosotros / ir a Sevilla / ¿querer ver un espectáculo de flamenco?

_____

_____

6. el Sr. Ojeda / estar en la sección de no fumar / ¿poder fumar?

_____

_____

3 En el aeropuerto

Ud. está viajando con un compañero hispano. Conteste sus preguntas aunque *(although)* no esté absolutamente seguro(a) de las respuestas. Use el futuro de probabilidad.

MODELO: ¿Qué hora es?

Serán _____ las dos y media.

1. ¿Dónde está el puesto de revistas?

_____ al lado de la oficina de información.

2. ¿Cuánto cuesta el pasaje para Asunción?

_____ unos 10.000 pesos.

3. ¿De dónde sale el avión?

_____ de la puerta 15.

4. ¿Quién es el hombre del traje azul?

_____ el piloto del avión.

B. El condicional

4 Ah, ¡si estuviéramos de vacaciones!

Describa lo que harían o no harían las siguientes personas si estuvieran de vacaciones.

MODELO: La Sra. Mendoza ___*no iría*___ al trabajo todos los días. (ir)

1. Nosotros _____ despertarnos temprano para ir al colegio. (tener que)

2. Yo _____ descansar. (poder)

3. Mis primos _____ a mi casa para jugar al ajedrez conmigo. (venir)

4. Elena _____ con su novio después de la cena. (salir)

5. El Sr. Carranza _____ corbata para ir a al oficina. (ponerse)

6. Los estudiantes _____ la tarea. (hacer)

7. Tú _____ más tiempo libre de lo que tienes ahora. (tener)

8. Nosotros _____ siempre que estamos cansados por tanto trabajar. (decir)

9. Ernesto y Maricarmen _____ ir a la discoteca todas las noches. (querer)

10. _____ mucha gente en la playa. (hay)

5 Buenas noticias

Las siguientes personas anunciaron buenas noticias. Describa éstas según el modelo. El segundo verbo puede ser afirmativo o negativo.

MODELO: el piloto / anunciar / el avión / ¿llegar con retraso?

El piloto anunció que el avión no llegaría con retraso.

1. la compañía aérea / declarar / el precio de los pasajes / ¿subir?

_____

2. el profesor / prometer / el examen / ¿ser difícil?

_____

3. la jefa / decir / los empleados / ¿recibir un aumento de sueldo *(raise)*?

_____

4. la azafata / anunciar / nosotros / ¿poder ver la bahía *(bay)* de Río de Janeiro?

_____

5. el aduanero *(customs officer)* / responder / los pasajeros / ¿tener que abrir las maletas?

_____

6. el servicio de meteorología *(weather service)* / anunciar / ¿hacer buen tiempo este fin de semana?

_____

C. El pluscuamperfecto

6 ¿Por qué?

Explique las siguientes situaciones usando el pluscuamperfecto en oraciones afirmativas o negativas.

MODELO: Yo tenía un hambre fenomenal. *No me había desayunado.* (desayunarse)

1. Carlos se sentía cansado. _____ bien. (dormir)

2. Los estudiantes estaban nerviosos. _____ la tarea. (hacer)

3. Carlitos se sentía culpable (*guilty*). _____ el disco preferido de su hermano. (romper)

4. Estábamos impacientes. _____ el tren por más de dos horas. (esperar)

5. Tenías vergüenza. _____ la verdad. (decir)

6. Tú estabas muy elegante. _____ el traje nuevo y una corbata nueva. (ponerse)

7. Yo estaba de mal humor. _____ el campeonato de tenis. (perder)

8. El periodista estaba contento. _____ un artículo excelente. (escribir)

7 ¡Qué lástima!

Describa lo que les ocurrió a las siguientes personas.

MODELO: los viajeros / llegar a la estación // el tren / salir
Cuando los viajeros llegaron a la estación, el tren ya había salido.

1. yo / presentarme a la entrevista // la companía / escoger a otra persona

   _____

2. nosotros / llegar a la ventanilla // el empleado / vender todos los pasajes

   _____

3. tú / despertarse // la azafata / servir la comida

   _____

4. Ud. / comprar los boletos // los precios / aumentar un 20 por ciento

   _____

5. los fotógrafos / llegar al aeropuerto // la actriz famosa / desembarcar

   _____

6. los bomberos / apagar el incendio // la casa / ser destruida

   _____

7. Gabriela / regresar a casa // su hermanito / romperle la pulsera

   _____

8. los policías / llegar a la joyería (*jewelry store*) // los ladrones / abrir todas las vitrinas

D. El futuro perfecto

8 Querer es poder (Where there's a will, there's a way)

Las siguientes personas quieren hacer ciertas cosas. Diga para qué momento las habrán hecho.

MODELO: Quiero terminar la tarea. La _habré terminado_ _____ antes de acostarme.

1. Queremos encontrar un trabajo interesante.

   Lo _____ antes de graduarnos.

2. Diego quiere aprender a hablar francés.

   Lo _____ a hablar antes de ir a Francia.

3. Tú quieres escribir una novela.

   La _____ antes del fin de las vacaciones.

4. Queremos devolverle el dinero.

   Se lo _____ para fines del mes.

5. Los científicos quieren descubrir una cura para el cáncer.

   La _____ antes del año 2000.

6. Esa compañía norteamericana quiere abrir una oficina en México.

   La _____ antes del verano próximo.

9 ¿Qué les habrá ocurrido?

Unos amigos habían decidido reunirse en un café. Pero el día de la cita, nadie vino. Explique lo que le habrá ocurrido a cada uno, en oraciones afirmativas o negativas.

1. Carlos _____ el tranvía. (perder)

2. Uds. _____ otra cita. (tener)

3. Tú _____ de la fecha. (acordarse)

4. Ud. _____ la dirección del café. (saber)

5. Mariluz _____ con otras chicas. (salir)

6. Pedro y Marta _____. (olvidarse)

CAFE DE CHINITAS
Restaurant - Tablao Flamenco

Excelente cena y buen Tablao Flamenco

Torija, 7   MADRID

◢ *Lecturas literarias* ◤

El abanico

Palabras claves

1 Complete las siguientes oraciones con las palabras apropiadas de los vocabularios en las páginas 306 y 310 de su texto. Haga los cambios que sean necesarios.

[I]   1. Los amigos le aconsejan al marqués que _____ con una mujer inteligente y linda.

      2. Las chicas consideran a Juan _____ porque es guapo, listo y millonario.

      3. Todas las candidatas eran bonitas e inteligentes. Era una _____ muy difícil para los jueces *(judges)*.

      4. La generosidad se _____ las buenas acciones.

      5. La historia tradicional narra los _____ de los hombres.

[II] 6. El _____ cuidó de la condesita desde su infancia.

      7. Ana, ¡no _____ por ese problema! Todo se solucionará a su debido tiempo *(in due time)*.

      8. La joven solía _____ y _____ su abanico con destreza *(dexterity)*.

      9. Una gran cantidad de gente _____ el paso de la ambulancia.

     10. Nadie _____ del desafortunado suceso. Fue un accidente.

10

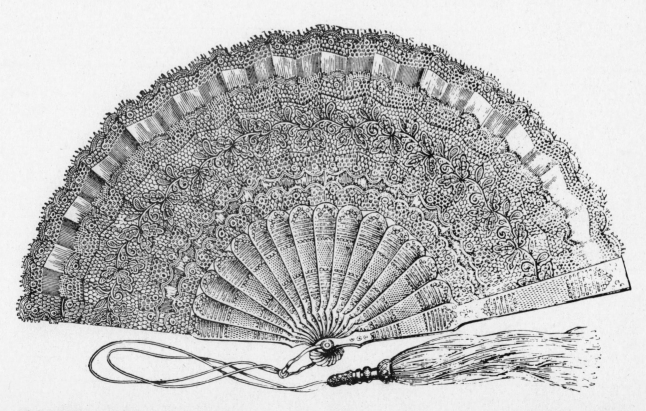

                              Unidad 10   **149**

Estructuras gramaticales

2 El futuro, el condicional y el pluscuamperfecto

Complete las siguientes frases según el texto. Indique el tiempo del verbo y luego escriba el equivalente en inglés de la frase.

A. el futuro   **C.** el condicional
B. el futuro de probabilidad   **D.** el pluscuamperfecto

1. I, líneas 1–2: . . . y _____ aquella noticia a sus amigos.

   A B C D _____

  _____

2. I, línea 12: Pero _____ de aquella vida de disipación.

   A B C D _____

  _____

3. I, líneas 28–29: . . . _____ más de un collar de perlas que de su marido, . . .

   A B C D _____

  _____

4. I, líneas 29–30: y _____ capaz de olvidar a su hijo . . .

   A B C D _____

  _____

5. I, líneas 33–34: . . . el matrimonio _____ para ella el peligro de perder su belleza, . . .

   A B C D _____

  _____

6. I, líneas 37–38: . . . me _____ moribundo en la casa . . .

   A B C D _____

  _____

7. I, línea 39: . . . y no _____ en abandonar a su hijo enfermo . . .

   A B C D _____

  _____

8. II, línea 55: . . . pero no _____ con Ud. este vals.

   A B C D _____

  _____

9. II, línea 58: . . . mañana _____ a pedirle a Ud. por esposa, . . .

   A B C D _____

  _____

Mejore su español

3 Escriba las oraciones otra vez, reemplazando las palabras en cursiva con una palabra o una expresión que tenga el mismo significado.

1. *El niño que acaba de perder a sus padres* va a vivir con sus familiares.

   _____

2. *El hijo de mi tía* asiste a la universidad en Madrid.

   _____

3. *La esposa de mi hijo* es gerente de un banco.

   _____

4. *El hijo de mi hija* es el muchacho más guapo del mundo.

   _____

5. *El marido de mi hermana* tiene pocas cualidades y muchos defectos.

   _____

6. *El padre de mi marido* es un hombre de mucha paciencia.

   _____

7. *La hija de mi madrastra* se hizo médica.

   _____

8. *Los padres de mis padres* quieren que los visitemos con frecuencia.

   _____

Expansión: Modismos, expresiones y otras palabras

(I) **al paso que** *while, at the same time as*   **dentro de** *within*

(II) *to meet*   **encontrar** *to meet* (by appointment or chance)
¿Dónde **encontraste** a tus amigos?   *Where **did you meet** your friends?*

   dar con *to meet* (by accident), *run into*
No había **dado** todavía **con** su ideal.   *He had not yet **met** his ideal [woman].*

   conocer [pretérito] *met* (for the first time)
Conoció a su esposa en un baile.   *He met his wife at a ball.*

   reunirse (con) *to meet* (and get together)
Nos reunimos una vez al mes para jugar al ajedrez.   *We get together once a month to play chess.*

   home   **la casa** *home, house* (a location)
No está en **casa**.   *He is not at **home**.*

   el hogar *home, hearth* (a warm, welcoming place)
Buscaba las alegrías del **hogar**.   *He was looking for the happiness of **home**.*

4 Complete las siguientes oraciones con la expresión que convenga.

1. No vas a terminar nunca ese proyecto _____ vas.

2. _____ esa caja hay otra cajita.

5 Escribe en español la forma correcta del verbo *to meet*.

1. ¿A qué hora _____ con tus amigos los viernes por la noche?

2. ¡Increíble! Ella _____ con mi mejor amiga la semana pasada en Madrid.

3. Anoche, por primera vez nosotros _____ a la futura esposa de mi hermano.

6 Dé el equivalente en español de las siguientes frases.

1. *On the wall there was a sign saying: Home, sweet home.*

   En la pared había un rótulo que decía: _____, dulce _____.

2. *Federico will build a solar home next year.*

   Federico construirá una _____ solar el año próximo.

3. *She is never at home because she travels constantly.*

   Nunca está en _____ porque viaja constantemente.

4. *They do not know how the thief entered the Romero's home.*

   No saben cómo el ladrón entró en la _____ de los Romero.

Unidad 11

Escenas de la vida

En el hotel

1 **Comprensión del texto e interpretación personal**

Lea otra vez el texto en las páginas 316–318 de su libro y conteste las siguientes preguntas.

1. ¿Cuál es el malentendido *(misunderstanding)* en el *Cuadro A*? ¿Cómo reaccionaría Ud. en la misma situación?

_____

_____

_____

_____

2. ¿Cuál es el problema en el *Cuadro C*? ¿Qué lo causó?

_____

_____

_____

_____

3. ¿Qué le ocurre al señor en el *Cuadro E*? ¿Cómo reaccionaría Ud. en la misma situación?

_____

_____

_____

_____

4. ¿De qué se queja el turista en el *Cuadro F*? Según Ud., ¿debe pagar la cuenta? Explique su respuesta.

_____

_____

_____

_____

_____

2 La reservación

Para sus vacaciones, Eduardo y Margarita Flores han reservado una habitación doble con vista al mar en un hotel de lujo de la Costa del Sol en España. Pero, así como ocurre en el *Cuadro A*, al llegar al hotel les informan que la reservación no aparece en el registro del hotel. El gerente del hotel les ofrece otra habitación más barata, pero no tan cómoda y sin vista al mar. Eduardo Flores, propietario *(owner)* de una agencia de viajes, insiste en obtener la habitación que había reservado.

Imagínese el diálogo entre el gerente y Eduardo Flores.

El gerente: _____

Sr. Flores: _____

El gerente: _____

Sr. Flores: _____

El gerente: _____

Sr. Flores: _____

El gerente: _____

Sr. Flores: _____

El gerente: _____

Sr. Flores: _____

El gerente: _____

Sr. Flores: _____

El gerente: _____

Sr. Flores: _____

3 ¡Ud. es el(la) cliente!

Ud. es el(la) cliente a quien le ocurrió uno de los problemas descritos en los cuadros del libro. Escoja una de estas situaciones y descríbasela a un amigo detalladamente.

¿Sabes lo que me ocurrió la última vez que fui de viaje?

_____

_____

_____

_____

_____

_____

_____

❰ El español práctico ❱

1 ¡Por favor!

Complete las siguientes oraciones con el sustantivo apropiado.

1. ¿Podría reservar una _____ para el dos de agosto?

2. Perdóneme, señorita. ¿Podría indicarme dónde queda el _____ juvenil?

3. Sí, voy a tomar las comidas en el hotel. ¿Podría decirme cuánto cuesta la _____ completa?

4. Quisiera colgar mi chaqueta. ¿Tiene Ud. una _____?

5. Hace frío en el cuarto. ¿Podría poner otra _____ en la cama?

6. Cuando la camarera hace la cama, siempre cambia las _____.

7. Voy a salir mañana por la mañana. ¿Podría decirle a la cajera que prepare mi _____?

2 Preguntas y respuestas

A. Estamos en la recepción de un hotel. El recepcionista le hace unas preguntas a la cliente. Complete sus preguntas.

Recepcionista: ¿_____, señorita?
Cliente: Me gustaría registrarme.

Recepcionista: ¿_____?
Cliente: Quisiera un cuarto sencillo con baño privado.

Recepcionista: ¿_____?
Cliente: Me quedaré hasta el domingo.

Recepcionista: ¿_____?
Cliente: Con cheques viajeros.

Recepcionista: ¿_____?
Cliente: Gracias, no. Voy a subir mis maletas yo misma.

B. Ahora otra cliente le hace unas preguntas al recepcionista. Complete el diálogo.

Cliente: ¿_____?
Recepcionista: 6.000 pesos por noche, señorita.

Cliente: ¿_____?
Recepcionista: Debe desocuparla antes de las dos.

Cliente: ¿_____?
Recepcionista: Lo siento mucho, señorita, pero no aceptamos cheques personales.

Cliente: ¿_____?
Recepcionista: Claro, le mandaré al botones.

Cliente: ¿_____?
Recepcionista: Muy bien, la prepararemos para mañana por las nueve.

          Unidad 11   **155**

3 En el hotel

Conteste las siguientes preguntas según el dibujo.

1. ¿Dónde ocurre la escena? ¿Qué clase de hotel es?

   _____

   _____

2. ¿De dónde viene la señora? ¿Qué hace en este momento? ¿A quién le habla? Según Ud.,
   ¿qué tipo de habitación desea?

   _____

   _____

3. ¿Quién se encarga de *(is attending to)* su equipaje? ¿Qué va a hacer con el equipaje?

   _____

   _____

4. ¿Cuánto cobran por una habitación en el hotel? ¿Cuánto cobran si el desayuno
   está incluido?

   _____

   _____

5. ¿Cómo se puede pagar la cuenta?

   _____

   _____

6. ¿Le gustaría quedarse en este hotel? Explique su respuesta.

   _____

   _____

4 En Santa Clara del Mar

Durante las vacaciones Ud. viaja por España. Decide pasar una semana en
Santa Clara del Mar, un pequeño balneario a orillas del Mar Mediterráneo.

Describa las varias clases de alojamiento *(accomodation)* que ofrece Santa Clara
y las ventajas y desventajas de cada una. Escoja su alojamiento y explique
por qué lo ha elegido.

_____

_____

_____

_____

_____

_____

_____

_____

_____

_____

_____

_____

5 A Ud. le toca

Imagínese que Ud. está en las siguientes situaciones. Exprésese en español.

1. *You are going to spend a week in Mexico City and you call the Hotel María Cristina. Say that you would like to reserve a single room with bath. You will arrive on July 15th. Ask how much the room is per night. Ask if the rooms are air-conditioned.*

_____

_____

_____

_____

2. *You have arrived at the Hotel Miramar on the Spanish Costa del Sol. Say that you have advance reservations and that you would like a comfortable room with a view of the sea.*

_____

_____

_____

_____

3. *You are the hotel manager of a first-class hotel in Lima. The director of an American travel agency is visiting your city. Tell her that your hotel has all the modern conveniences and that your prices are very reasonable.*

_____

_____

_____

_____

4. *You are about to end your vacation in Puerto Vallarta, Mexico. Ask the desk to prepare your bill and ask how you may pay it. Ask also when you have to vacate your room. Ask the desk to send the bellboy to bring down your luggage.*

_____

_____

_____

_____

5. *You have reserved a room in an expensive hotel, but you are very dissatisfied with your room and the service. Express your complaints to the hotel manager.*

_____

_____

_____

_____

■ *Estructuras gramaticales* ■

A. Al + *infinitivo*

1 Actividades

Diga lo que hacen las siguientes personas en ciertos momentos. Use la construcción **al** + *infinitivo*. (¡Cuidado con los tiempos de los verbos!)

MODELOS: Regresé a casa. (quitarse el abrigo)

Al regresar a casa, me quité el abrigo.

Los turistas reservarán una habitación. (deber pagar un depósito)

Al reservar una habitación, los turistas deberán pagar un depósito.

1. Carlos oye el despertador. (despertarse)

_____

_____

_____

2. Saldrás del hotel. (devolverle las llaves a la recepcionista)

_____

_____

_____

3. Los viajeros llegarán al mostrador de Iberia. (facturar sus maletas)

_____

_____

_____

4. La Sra. Espinosa se irá del restaurante. (darle una propina al camarero)

_____

_____

_____

5. Los turistas desocuparon el cuarto. (pagar la cuenta)

_____

_____

_____

6. Viste el fantasma *(ghost).* (desmayarse)

_____

_____

_____

B. El uso del infinitivo después de ciertas preposiciones

2 ¿Qué hicieron?

Explique lo que hicieron las siguientes personas. Para hacer esto, transforme las oraciones usando la preposición apropiada:

antes de / después de / sin / en vez de / para / por

MODELOS: Pasamos un año en Caracas. (Aprendimos español.)

Pasamos un año en Caracas para aprender español.

La Sra. Rodríguez alquiló un coche. (No viajó por tren.)

La Sra. Rodríguez alquiló un coche en vez de viajar por tren.

1. El Sr. Ortega le dio un cheque de viaje al cajero. (No pagó en efectivo.)

2. Antonio llegó tarde a la cita. (Perdió el autobús.)

3. Pagamos la cuenta. (Salimos del hotel.)

4. El camarero recibió una buena propina. (Sirvió bien a los clientes.)

5. La camarera pasó la aspiradora. (Hizo la cama.)

6. Los turistas fueron de compras por el centro. (No visitaron el museo.)

7. El afortunado (*lucky*) estudiante salió bien en el examen. (No estudió.)

8. Llamaste a la recepcionista. (Reservaste una habitación para el 7 de agosto.)

9. El taxista se fue. (Dejó a los viajeros en el aeropuerto.)

10. Tomás recibió una multa (*traffic ticket*). (No se paró en la luz roja.)

3 Expresión personal

Complete las siguientes oraciones con una expresión personal.

1. Estudio español para _____

   _____

2. Me gustaría tener dinero para _____

   _____

3. Me siento un poco nervioso(a) antes de _____

   _____

4. Me siento de buen humor después de _____

   _____

5. De vez en cuando, tengo dolor de cabeza por _____

   _____

6. De vez en cuando, hablo sin _____

   _____

7. Más tarde, me gustaría _____

   _____

   en vez de _____

   _____

8. En la vida, no es posible ser feliz sin _____

   _____

C. El uso del subjuntivo después de ciertas conjunciones

4 ¿Para qué?

Explique por qué las siguientes personas hacen ciertas cosas. ¡Cuidado! El verbo en el subjuntivo puede ser afirmativo o negativo.

MODELO: yo / cerrar mi cuarto con llave // mi hermano / ¿entrar?

Cierro mi cuarto con llave para que mi hermano no entre.

1. la camarera / poner una manta de lana en la cama // los clientes / ¿tener frío?

   _____

2. nosotros / llamar a la recepción // el cajero / ¿preparar nuestra cuenta?

   _____

3. esa compañía / hacer publicidad (*to advertise*) // el público / ¿comprar sus productos?

   _____

4. la enfermera / recetarte pastillas de dramamina // tú / ¿marearse durante el paseo en barco?

   _____

5. la Sra. Machado / poner sus maletas en el pasillo // el botones / ¿bajarlas?

_____

_____

6. la recepcionista del hotel / prestarnos un mapa de la ciudad // nosotros / ¿perderse por las calles?

_____

_____

7. yo / darles mi dirección // Uds. / ¿escribirme durante las vacaciones?

_____

_____

8. el director del parque público / poner un letrero // los niños / ¿cortar las flores?

_____

_____

5 El tiempo

A menudo nuestras actividades dependen de las condiciones exteriores. Exprese eso en oraciones lógicas en el futuro usando los elementos de las columnas A, B y C.

A	B	C
salir	a menos que	anochecer
esquiar	con tal que	llover
ir a la playa	a condición de que	nevar
dar un paseo	antes de que	hacer frío
sacar fotos		hacer sol
regar el césped		hacer calor
plantar flores		hacer viento

MODELO: Yo *sacaré fotos antes de que anochezca (con tal que no llueva).*

1. Tú _____

_____

2. Ud. _____

_____

3. Uds. _____

_____

4. Maricarmen _____

_____

5. La Sra. Espinel _____

_____

6. Mis amigos _____

6 Nosotros y los demás

A menudo hacemos ciertas cosas no solamente para nosotros sino también para otras personas. Exprese esto según el modelo.

MODELO: La Sra. Benítez alquila un coche para visitar los alrededores (*surrounding area*).
(su familia) *La Sra. Benítez alquila un coche para que su familia visite los alrededores.*

1. Pasaremos por la agencia de viajes para reservar los billetes. (tú)

   _____

2. La camarera hará la habitación antes de salir. (nosotros)

   _____

3. No nos iremos de vacaciones sin confirmar la reservación. (Uds.)

   _____

4. No regresaremos al hotel antes de comprar unos recuerdos (*souvenirs*). (mis amigos)

   _____

5. Voy a comprar la guía (*guidebook*) de la ciudad para buscar un hotel cómodo. (tú)

   _____

6. No te vayas sin saber la dirección de la posada. (yo)

   _____

D. El uso del subjuntivo o del indicativo después de cuando

7 Querer es poder

Las siguientes personas quieren hacer varias cosas. Diga que llevarán a cabo (*they will realize*) sus planes.

MODELO: Mis amigos quieren vivir en México para aprender español.
Cuando mis amigos vivan en México, aprenderán español.

1. Carlota quiere tener dinero para hacer viajes.

   _____

2. Los turistas quieren pasar por Granada para visitar la Alhambra.

   _____

3. Quiero ganarme la vida para ser independiente.

   _____

4. La secretaria quiere hablarle a su jefe para pedirle un aumento de sueldo (*raise*).

   _____

5. Quieres tener tu diploma para buscar un buen trabajo.

   _____

8 ¡Es prometido!

Las siguientes personas prometieron hacer ciertas cosas. Exprese esto según
el modelo.

MODELO: yo / hacer la tarea / tan pronto como / regresar a casa

Haré la tarea tan pronto como regrese a casa.

1. nosotros / trabajar / luego que / graduarse

_____

2. Yolanda y José / casarse / en cuanto / ganar bastante dinero

_____

3. yo / llamar a mis padres / tan pronto como / llegar a Venezuela

_____

4. tú / quedarse en la universidad / hasta que / recibir tu diploma

_____

_____

5. mis amigos / salir para España / tan pronto como / tener sus pasaportes

_____

_____

6. yo / ayudarte / después de que / terminar lo que estoy haciendo

_____

_____

7. los inquilinos (*tenants*) / pagar el alquiler / mientras que / quedarse en el apartamento

_____

_____

9 ¿Y usted?

Complete las siguientes oraciones con una expresión personal.

1. Cuando quiero divertirme, _____

_____

2. Tan pronto como esté de vacaciones, _____

_____

3. Luego que me gané bien la vida, _____

_____

4. Mientras que viva en casa de mis padres, _____

_____

5. Cuando tenga 25 años, _____

_____

6. Cuando me sienta de mal humor, _____

_____

164 *Estructuras gramaticales*

Nombre: _____   Fecha: _____

Lecturas literarias

La abeja haragana

Palabras claves

1 Complete las siguientes oraciones con las palabras apropiadas de los vocabularios en las páginas 336 y 340 de su texto. Haga los cambios que sean necesarios.

I   1. Nos informó que toda esta _____ fue producida por las abejas de esa colmena.

2. A pesar de ser muy lista, Marta saca malas notas porque es muy _____.

3. Al oír el chiste que le contó su tío, el joven _____.

4. El accidente automovilístico _____ que el tráfico se mueva a la velocidad normal.

5. Para participar en las Olimpiadas, los atletas deben pasar muchas _____ deportivas.

6. El hijo tiene mala conducta y los padres quieren que él _____ lo más pronto posible.

7. Hoy llega el Rey de España; por eso _____ de algunas calles del centro de Madrid.

8. ¿Desea que yo le _____ el tanque de gasolina?

II   9. La asustada abejita _____ por miedo.

10. Al volar los mosquitos _____.

11. Salgo de compras hoy porque tengo que _____ las grandes liquidaciones.

12. Uno de nuestros _____ es respetar lo que dicta la constitución.

13. El ejército no sufrió _____ sino que consiguió victorias.

14. Los árboles tienen _____ nuevas en primavera.

Unidad 11   **165**

Estructuras gramaticales

2 El infinitivo

Complete las siguientes frases con las palabras que faltan. Luego escriba el equivalente en inglés.

1. I, líneas 2–3: _____ tomar el néctar de las flores

   _____

   _____

2. I, línea 3: _____ conservarlo

   _____

   _____

3. I, líneas 12–13: _____ cuidar la colmena

   _____

   _____

4. I, línea 33: _____ caer el sol

   _____

   _____

5. I, líneas 61–62: _____ encontrarse ante su enemiga

   _____

   _____

6. I, línea 81: _____ lanzarse sobre la abeja

   _____

   _____

7. II, línea 22: _____ salir de aquí

   _____

   _____

8. II, línea 55: _____ salvar su vida

   _____

   _____

9. II, línea 66: _____ decirle nada

   _____

   _____

10. II, línea 73: _____ morir

   _____

   _____

3 Construcciones con las conjunciones de tiempo

Lea otra vez el texto y complete las siguientes oraciones con los verbos
apropiados. Luego indique si el verbo está en **A**: la forma indicativa o
B: la forma subjuntiva y explique por qué.

1. I, líneas 14–15: Un día, pues, detuvieron a la abeja haragana cuando _____
   a entrar. . .

   forma _____: _____

2. I, líneas 36–37: Pero cuando _____ entrar, las abejas . . . se lo impidieron.

   forma _____: _____

3. I, líneas 53–54: . . . la abeja se arrastró hasta que de pronto _____ por un
   agujero.

   forma _____: _____

4. I, líneas 89–90: . . . tienes el derecho de pasar la noche aquí, hasta que _____
   de día.

   forma _____: _____

5. II, líneas 31–32: Cuando _____ "tres", búsqueme por todas partes. . .

   forma _____: _____

6. II, líneas 71–72: Y cuando el otoño _____, y _____ también el
   término de sus días, tuvo aún tiempo de dar una última lección . . .

   forma _____: _____

Mejore su español

4 Escriba las oraciones otra vez, reemplazando las palabras en cursiva con la
expresión apropiada de la página 344.

1. ¡No *te acerques* a la pared! La pintura está fresca.

   _____

2. El animal *se preparaba* para atacar.

   _____

3. El luchador *se echó con fuerza* contra su adversario.

   _____

4. El alpinista *caía dando vueltas* por la ladera *(slope)* de la montaña.

   _____

5. La gimnasta recibió un alto puntaje *(score)* cuando *saltó*.

   _____

6. Ya no podía caminar solo. *Se movía lentamente* por el camino en busca de ayuda.

   _____

7. Según el juego de niños debes *virarte* y contar hasta diez.

   _____

Expansión: Modismos, expresiones y otras palabras

(I) **de guardia** *on guard duty*   **en adelante** *from now on, henceforth*
    de modo que *so that, and so*   **en efecto** *indeed, in effect*
    sin falta *without fail*

(II) *question*   **una pregunta** *question* (requesting a response)
    Voy a hacerle **una pregunta**.   *I'm going to ask you **a question**.*

    una cuestión *question, matter, or issue under discussion*
    La plantita en **cuestión** era   *The plant in **question** was*
    muy sensitiva.   *very sensitive.*

5 Complete con la palabra apropiada.

1. Estará aquí _____ cuando empiece la función.

2. Lo reparó, _____ ahora funciona bien.

3. _____ haremos las cosas de una manera diferente.

4. _____, lo que él propone es la mejor solución.

5. El hombre está _____ ocho horas todas las noches.

6 Dé el equivalente en español de las siguientes frases.

1. *He asked me so many questions.*

   Me hizo tantas _____.

2. *That is a question of honor.*

   Eso es una _____ de honor.

Unidad 12

◖ Escenas de la vida ◗

¡Qué viva la independencia!

1 Comprensión del texto e interpretación personal

Lea otra vez el texto en las páginas 346–349 de su libro y conteste las siguientes preguntas.

1. Según Ud., ¿qué tipo de persona es Roberto Arias? ¿Cómo es su vida familiar?

_____

_____

_____

_____

2. Según Ud., ¿cuál sería el apartamento ideal para Roberto?

_____

_____

_____

_____

_____

3. Según Ud., ¿qué tipo de inquilinos van a alquilar el primer apartamento? ¿el segundo apartamento? ¿el tercer apartamento? (Puede describir la edad, la profesión y la situación familiar de estas personas.)

_____

_____

_____

_____

_____

4. Escoja uno de los apartamentos y compare la descripción en el anuncio con la realidad. ¿Qué piensa Ud. de la manera en que se describen los apartamentos en los anuncios clasificados?

_____

_____

_____

_____

_____

12

2 La independencia

Escriba un párrafo de cinco oraciones sobre uno de los siguientes temas (topics).

A. ¿Qué sería lo mejor para un(a) joven recién graduado(a): mudarse o quedarse en casa de sus padres? ¿Por qué?

B. ¿Es la independencia simplemente un estado mental? Explique su respuesta.

_____

_____

_____

_____

_____

_____

_____

3 El apartamento

Ud. acaba de llegar a Madrid hace unas semanas y está buscando vivienda (housing). De los tres apartamentos que visitó Roberto, escoja el que más le gusta. Después de alquilarlo, Ud. le escribe a su mejor amigo(a) una carta en la que describe las ventajas y las desventajas que tiene este apartamento.

Querido (a) _____,

   En mi carta del mes pasado, te escribí que había llegado a Madrid. No sabía entonces que la vivienda aquí era un problema tan grande, especialmente para los estudiantes. Visité un montón de apartamentos y al fin, encontré uno que se queda

Abrazos de tu amigo (a),

《 *El español práctico* 》

1 El intruso

En cada serie hay una palabra que no pertenece al grupo. Búsquela y márquela con un círculo.

1. diván   sábana   sillón   butaca

2. grifo   armario   cómoda   escritorio

3. lavabo   espejo   fregadero   bañera

4. sótano   enchufe   desván   garaje

5. horno   estufa   tostadora   báscula

6. techo   alcoba   habitación   dormitorio

7. luz   gas   basura   calefacción

8. manta   alfombra   almohada   sábana

9. tocador   inquilino   dueño   agente

10. finca   hacienda   granja   cortina

2 Las palabras lógicas

Complete las siguientes oraciones con las palabras apropiadas.

1. El _____ no funciona. Ud. debe subir al tercer piso por

   la _____.

2. Somos _____ del apartamento donde vivimos. Cada mes debemos

   pagarle el _____ a la _____.

3. Jorge, tienes que arreglar tu cuarto. Cuelga tus trajes en el _____

   y pon tus camisas en la _____.

4. Cuando la camarera haga la habitación, pídale que cambie las _____

   de la cama y que también ponga una _____ de lana.

5. Después de levantarse, Antonio va al _____ para tomar

   una _____. Después, se mira en el _____

   y se pesa en la _____.

6. Al regresar del supermercado, el Sr. Montalbán pone las latas en

   los _____, la leche en la _____ y

   el helado en la _____.

7. El apartamento de mi tía es muy elegante. En las paredes hay unos

   _____ de artistas famosos. En el suelo, hay unas

   _____ persas (*Persian*) y en las ventanas hay

   _____ de seda.

12

8. ¡Qué lío! El _____ no funciona y tengo que lavar los platos en

   el _____.

9. Mi tío Ernesto vivía en un _____ en el _____

   de la ciudad. Hace dos años se mudó al _____ y ahora vive en

   una _____ donde cría (raises) caballos.

10. La Sra. Linares no vive en el centro. Vive en las _____. Todos

    los días toma el autobús para ir a su oficina que está en el _____

    veinte de un _____ moderno.

3 La mudanza *(moving)*

Su familia piensa mudarse a otra ciudad. Prepare para la compañía de mudanzas
una lista detallada de los muebles y electrodomésticos que se encuentran en su
casa, piso por piso, y cuarto por cuarto. (Si prefiere, puede usar su imaginación y
describir la casa de sus sueños.)

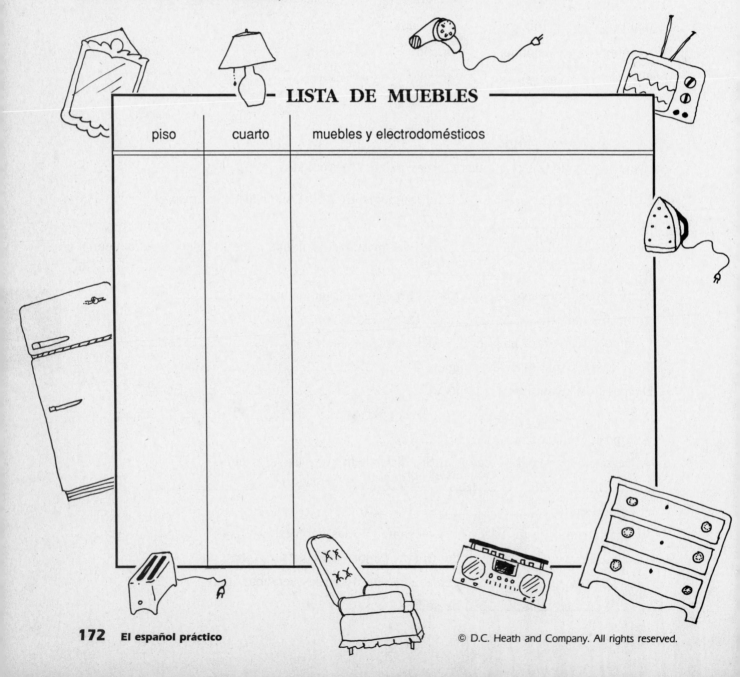

LISTA DE MUEBLES

piso	cuarto	muebles y electrodomésticos

4 Viviendo en México

Ud. ha recibido una beca *(scholarship)* para estudiar en la Ciudad de México por unos seis meses. Al buscar alojamiento *(lodging)*, Ud. pasa por una agencia de bienes raíces. Conteste las preguntas de la agente usando su imaginación.

1. ¿En qué parte de la ciudad preferiría vivir?

   _____

   _____

2. ¿Qué tipo de vivienda le gustaría?

   _____

   _____

3. ¿En qué piso preferiría vivir?

   _____

   _____

4. ¿Cuántos cuartos necesita?

   _____

   _____

5. ¿Qué clase de comodidades desea?

   _____

   _____

6. ¿Prefiere un apartamento desamueblado o amueblado?

   _____

   _____

7. ¿Qué clase de muebles necesita?

   _____

   _____

8. ¿Cuánto piensa pagar de alquiler (en dólares)?

   _____

   _____

9. ¿Cuánto tiempo piensa vivir en el apartamento?

   _____

   _____

10. ¿Cuándo planea mudarse del apartamento?

   _____

   _____

12

5 En la calle

Conteste las siguientes preguntas según el dibujo.

1. ¿En qué parte de la ciudad ocurre la escena?

_____

_____

2. ¿Cómo se llama el inquilino? ¿En qué piso vive? Según Ud., ¿desde hace cuánto tiempo alquila el apartamento?

_____

_____

3. ¿Cuál es el nombre de la compañía que efectúa la mudanza (moving)? ¿Qué clase de muebles hay en la calle? Según Ud., ¿qué otros muebles hay en el camión?

_____

_____

4. Según Ud., ¿cómo van a cargar (carry) los muebles al apartamento los hombres?

_____

_____

5. ¿Le gustaría vivir en este barrio? Explique su respuesta.

_____

_____

_____

6 A Ud. le toca

Imagínese que Ud. se encuentra en las siguientes situaciones. Exprésese en español.

1. Usted quiere pasar el verano a orillas del mar con un grupo de amigos. Explíquele al agente de bienes raíces qué tipo de apartamento quiere alquilar.

_____

_____

_____

_____

_____

_____

2. Ud. quiere asegurar *(to insure)* su vivienda con los muebles y otras cosas que contiene. Descríbale al agente de la compañía de seguros *(insurance)* su casa (apartamento, finca, etc.) y lo que contiene.

_____

_____

_____

_____

_____

_____

3. Un tío rico le ha regalado dinero para cambiar a su gusto los muebles y la decoración de su habitación. Explique lo que Ud. piensa hacer.

_____

_____

_____

_____

_____

Estructuras gramaticales

A. Las formas del imperfecto del subjuntivo

1 Transformaciones

Los siguientes verbos están en el presente del subjuntivo. Para cada verbo, dé
(A) el infinitivo,
(B) la forma **ellos** del pretérito del indicativo y
(C) la forma apropiada del imperfecto del subjuntivo.

MODELO: que yo salga   (A) *salir*   (B) *salieron*
(C) que yo *saliera*

1. que tú corras   (A) _____   (B) _____
(C) que tú _____

2. que nosotros escuchemos   (A) _____   (B) _____
(C) que nosotros _____

3. que él obedezca   (A) _____   (B) _____
(C) que él _____

4. que Uds. se sientan   (A) _____   (B) _____
(C) que Uds. _____

5. que yo duerma   (A) _____   (B) _____
(C) que yo _____

6. que él pida   (A) _____   (B) _____
(C) que él _____

7. que tú tengas   (A) _____   (B) _____
(C) que tú _____

8. que yo pueda   (A) _____   (B) _____
(C) que yo _____

9. que Ud. diga   (A) _____   (B) _____
(C) que Ud. _____

10. que yo sepa   (A) _____   (B) _____
(C) que yo _____

11. que tú estés   (A) _____   (B) _____
(C) que tú _____

12. que ellos vengan   (A) _____   (B) _____
(C) que ellos _____

B. El uso general del imperfecto del subjuntivo

2 ¿Presente o imperfecto?

Complete las siguientes oraciones con el presente o el imperfecto del subjuntivo de los verbos entre paréntesis.

1. Mis padres esperaron que yo _____ un apartamento más barato. (buscar)

2. Los vecinos insisten en que tú _____ la radio después de las once de la noche. (apagar)

3. El Sr. Rivera quería alquilar una casa que _____ tres habitaciones. (tener)

4. Es importante que nosotros _____ antes del primero de julio. (mudarse)

5. Sería mejor que Uds. _____ el alquiler con cheque. (pagar)

6. Llamé al dueño para que él _____ la calefacción. (subir)

7. Me alegro de que tú _____ en un apartamento cómodo y espacioso. (vivir)

8. Tienes que limpiar tu cuarto antes de que _____ tus amigos. (venir)

9. Carlos había pintado su apartamento de rojo sin que lo _____ la dueña. (saber)

10. Los padres de Anita le prestaron dinero para que _____ muebles para su apartamento. (comprar)

11. No estoy seguro de que el lavaplatos _____. (funcionar)

12. ¿Conoce Ud. a alguien que _____ reparar los electrodomésticos? (saber)

13. ¿Le molestaría que yo _____ la ventana? (abrir)

14. ¿Sería posible que nosotros _____ el apartamento a las dos? (visitar)

3 Lo que querían

Describa lo que querían las siguientes personas. ¡Cuidado! El verbo **querer** puede ser afirmativo o negativo.

MODELO: el dueño (los inquilinos / pagar el alquiler con retraso)

El dueño no quería que los inquilinos pagaran el alquiler con retraso.

1. los vecinos (nosotros / hacer ruido)

_____

2. la Sra. Valenzuela (su hijo / poner peces en la bañera)

_____

3. el gerente del restaurante (el cocinero / quemar la comida)

_____

4. yo (tú / llegar a la cita a tiempo)

_____

5. el piloto (Uds. / abrocharse el cinturón de seguridad durante el despegue)

_____

6. Enrique (su mejor amigo / salir con su novia)

_____

4 Sugerencias y peticiones

Describa según el modelo las sugerencias y peticiones que les hicieron las siguientes personas a otras.

MODELO: la agente de bienes raíces / sugerirle al Sr. Villegas / alquilar un apartamento más grande

La agente de bienes raíces le sugirió al Sr. Villegas que alquilara un apartamento más grande.

1. los inquilinos / rogarle al dueño / subir la calefacción

_____

2. la Sra. Paz / pedirles a los vecinos / hacer menos ruido

_____

3. la guía / aconsejarles a los turistas / visitar el Museo de Oro

_____

4. el camarero / recomendarnos / escoger las especialidades mexicanas

_____

5. mis padres / suplicarme / divertirme menos y estudiar más

_____

6. yo / prohibirte / leer mi diario (*diary*)

_____

C. Las oraciones con si

5 ¡Si . . . !

Complete las siguientes oraciones con el presente del indicativo o el imperfecto del subjuntivo, según el caso, de los verbos entre paréntesis.

1. (vivir) Si _____ en mi propio apartamento, me sentiría más independiente.

2. (tener) Si _____ frío, encenderé la calefacción.

3. (ir) Si _____ al centro, te visitaremos.

4. (pagar) Si _____ menos alquiler, me compraría un coche nuevo.

5. (encontrar) Si Tomás _____ trabajo en Barcelona, se mudará en junio.

6. (alquilar) Si Uds. _____ un apartamento en el centro, no gastarían tanto dinero en gasolina.

7. (leer) Si _____ los anuncios, encontrarías un piso amueblado.

8. (funcionar) Si el ascensor no _____, tendrás que subir por la escalera.

9. (trabajar) Si yo _____ para una agencia de bienes raíces, me ganaría bien la vida.

10. (ser) Si la cocina _____ más grande, compraríamos una congeladora.

6 ¿Por qué no?

Las siguientes personas no hacen ciertas cosas. Diga que las harían si las circunstancias fueran diferentes.

MODELO: No salgo porque no tengo dinero.
   Si tuviera dinero, saldría.

1. No vamos a la playa porque no hace buen tiempo.

_____

2. Ud. no saca fotos porque no hay suficiente luz.

_____

3. Amalia y Silvia no pueden esquiar porque no tienen tiempo.

_____

_____

4. Los estudiantes no sacan buenas notas porque no estudian.

_____

_____

5. No limpias las cortinas porque no están sucias.

_____

_____

6. La Sra. Cruz no alquila este apartamento porque no es espacioso.

_____

_____

7 ¡Qué lástima!

Diga lo que harían o no harían las siguientes personas si no se encontraran en las situaciones descritas.

MODELO: Hacemos la tarea. (¿quedarse en casa?)

Si no hiciéramos la tarea, no nos quedaríamos en casa.

1. Estás enfermo. (¿tomar medicina?)

   _____

2. Trabajamos. (¿salir con nuestros amigos?)

   _____

3. Tengo una quemadura de sol. (¿ir a la playa con Uds.?)

   _____

4. Ud. tiene sueño. (¿bostezar *[yawn]*?)

   _____

5. Elena se siente mal. (¿dar un paseo conmigo?)

   _____

6. Los estudiantes tienen que estudiar. (¿organizar una fiesta?)

   _____

8 ¿Y usted?

¿Qué haría Ud. si tuviera la posibilidad de hacer las siguientes cosas?

MODELO: visitar un país extranjero *Si visitara un país extranjero, visitaría México (España, Francia...).*

1. aprender otro idioma _____

   _____

2. vivir en otra ciudad _____

   _____

3. comprar un coche _____

   _____

4. ver una película este fin de semana _____

   _____

5. ir a un buen restaurante _____

   _____

6. invitar a alguien al restaurante _____

   _____

7. ser otra persona _____

   _____

8. pasar unas horas con una persona famosa _____

   _____

9 Ahora no, pero más tarde . . .

Ciertas situaciones no existen ahora, pero es posible que se produzcan en el futuro. Para las siguientes situaciones, diga lo que Ud. haría ahora, y lo que hará más tarde. Use su imaginación. Lea atentamente el modelo.

MODELO: ¿Es Ud. millonario(a)?

¡Claro que no! Si *fuera millonario (a), me compraría un coche deportivo (no me preocuparía por el dinero...).*

Ahora no, pero si algún día *soy millonario(a), me compraré un castillo en España (pasaré unas buenas vacaciones...).*

1. ¿Vive Ud. en México?

¡Claro que no! Si _____

_____

_____

Ahora no, pero si algún día _____

_____

_____

2. ¿Tiene Ud. su propia casa?

¡Claro que no! Si _____

_____

_____

Ahora no, pero si algún día _____

_____

_____

3. ¿Es Ud. presidente(a)?

¡Claro que no! Si _____

_____

_____

Ahora no, pero si algún día _____

_____

_____

4. ¿Se gana Ud. bien la vida?

¡Claro que no! Si _____

_____

_____

Ahora no, pero si algún día _____

_____

12

El amante corto de vista

Palabras claves

1 Complete las siguientes oraciones con las palabras apropiadas de los vocabularios en las páginas 372 y 377 de su texto. Haga los cambios que sean necesarios.

[I] 1. Todo el mundo tiene cualidades y _____.

  2. Debes _____ la biblioteca más a menudo.

  3. ¿Cuándo piensas _____ la fecha de tu boda?

  4. El joven esperará hasta que su novia _____ a la ventana.

  5. El jefe de personal _____ todos los datos que el joven puso en su solicitud de empleo (*job application*).

  6. Como está enojada con él, lo mira con mucho _____.

  7. El coronel fue un militar de _____.

  8. Si _____ a hacerlo se convertirá en héroe.

  9. ¡No le digas cosas que pueden herir su _____!

[II] 10. Me encanta tu _____. Sin duda has tomado caligrafía.

 11. En ese restaurante hay un _____ romántico y una comida excelente.

 12. Te pondrán una multa (*fine*) si _____ basura a la calle.

 13. Me mortifican tus creencias y por eso _____ a ellas.

 14. ¡Qué _____ se dieron los padres cuando se cayó el niño!

 15. Salió a caminar por un rato (*short time*) para _____.

Nombre: _____ Fecha: _____

Estructuras gramaticales

2 Repaso: El pretérito

Complete las siguientes frases según el texto. Luego escriba el infinitivo que corresponda.

INFINITIVO

1. I, línea 6:   El amor _____ por fin   _____
2. I, línea 7:   no _____ menos de hacer   _____
3. I, línea 19: El suceso le _____   _____
4. I, línea 31: _____ el amor propio   _____
5. I, línea 44: y _____ el número 12   _____
6. I, línea 72: él las _____ a lo lejos   _____
7. II, línea 6: Así lo _____   _____
8. II, línea 7: Hecho esto, _____ a dormir   _____
9. II, línea 20: _____ un rápido movimiento   _____
10. II, línea 25: _____ lo único   _____
11. II, línea 27: Mauricio _____   _____
12. II, línea 44: le _____ concebir   _____
13. II, línea 52: En efecto, así lo _____   _____
14. II, línea 52: se _____ voces   _____
15. II, línea 67: no _____ a ello   _____

3 El imperfecto del subjuntivo

Complete las siguientes frases según el texto. Indique la razón por la cual el verbo está en el imperfecto del subjuntivo. Luego, escriba el equivalente en inglés.

Razón: **A.** expresión impersonal
        B. expresión de voluntad
        C. después de ciertas conjunciones

1. I, líneas 63–64: . . . no es extraño que _____ el pañuelo.   **A B C**

   En inglés: _____

2. II, líneas 4–6: . . . decidió . . . escribir una respuesta . . . con el objeto de que el joven no _____ ganas de volver.   **A B C**

   En inglés: _____

3. II, línea 34: . . . su hija le pedía que _____.   **A B C**

   En inglés: _____

4. II, líneas 54–55: Llamó a la puerta para que el padre _____ al balcón.   **A B C**

   En inglés: _____

12

Expansión: Modismos, expresiones y otras palabras

(I)   **a pesar de que**   *in spite of, although*   **de veras**   *really, seriously*
       al fin   *at last, finally*   **en fin**   *anyway, so, to sum up*
       al cabo de   *at the end of*   **por último**   *finally, at last*
       de pie   *standing*

(II)   *to take*   **tomar**   *to take (to receive from)*
                        La mamá **tomó** el pañuelo.   *The mother **took** the handkerchief.*

                 sacar   *to take, take out*
                        Matilde **sacó** su pañuelo.   *Matilde **took out** her handkerchief.*

                 llevar   *to take, bring, carry*
                        Nos **llevó** a la ópera.   ***He took** us to the opera.*

---

4   Complete con la expresión apropiada.

1. Tuvo éxito con sus experimentos _____ muchos años.

2. _____ se terminó la disputa sobre la herencia que les dejó su tío.

3. Mucha gente estaba _____ porque no había suficientes asientos para todo el público.

4. ¿_____ viste al presidente en la calle? ¡Es increíble!

5. _____, eso es todo lo que ocurrió. Espero que ahora me comprendas, Matilde.

6. _____ ha vivido muchos años en los Estados Unidos, todavía habla con acento español.

5   Dé el equivalente en español de las siguientes frases.

1. *María, take the vegetables out of the basket.*
    María, _____ las legumbres de la canasta.

2. *Could you take this letter to the post office?*
    ¿Podría Ud. _____ esta carta al correo?

3. *We would like to know what you are taking in that large suitcase.*
    Nos gustaría saber qué _____ Ud. en esa maleta grande.

4. *The boss told her to take all the letters in shorthand.*
    El jefe le dijo que _____ todas las cartas en taquigrafía.

Unidad 13

Escenas de la vida

¡Qué lío!

1 **Comprensión del texto e interpretación personal**

Lea otra vez el texto en las páginas 382–385 de su libro y conteste las siguientes preguntas.

1. Según Ud., ¿qué tipo de persona es el profesor García? ¿Le gustaría tenerlo como profesor? Explique su respuesta.

_____

_____

_____

_____

2. Según Ud., ¿qué tipo de persona es el policía? ¿Le gustaría tenerlo como vecino? Explique su respuesta.

_____

_____

_____

_____

3. Describa el coche del profesor García. ¿Qué necesita para que funcione bien?

_____

_____

_____

_____

4. ¿Qué tienen en común las dos personas que se llaman García?

_____

_____

_____

_____

5. Según Ud., ¿de las diferentes infracciones que cometió el profesor García, cuál es la más grave? Explique su respuesta.

_____

_____

_____

_____

13

2 Interpretación personal

En el texto que Ud. leyó, el policía expresa algunas opiniones acerca de los profesores. Analice estas opiniones y diga si corresponden a la realidad o si son estereotipos. Justifique su opinión dando ejemplos.

1. El policía piensa que los profesores ganan poco dinero.

_____

_____

_____

_____

_____

_____

_____

2. El policía dice que todos los maestros son distraídos.

_____

_____

_____

_____

_____

_____

_____

3. El policía opina que los maestros son personas muy dedicadas.

_____

_____

_____

_____

_____

_____

_____

3 ¿Qué te pasó?

A causa de su encuentro con el policía, el profesor García regresó a casa con una hora de retraso. Un poco preocupada, su esposa le preguntó lo que había pasado.

Imagínese el díalogo entre los dos.

Sra. García: ¿Qué te pasó, mi amor? Me tenías muy preocupada.

Sr. García: No vas a creer lo que me ocurrió. _____

_____

_____

Sra. García: _____

_____

Sr. García: _____

Sra. García: _____

_____

Sr. García: _____

_____

_____

_____

_____

Sra. García: _____

_____

Sr. García: _____

_____

_____

Sra. García: _____

Sr. García: _____

_____

_____

_____

Sra. García: _____

Sr. García: _____

_____

_____

Sra. García: _____

Sr. García: _____

_____

_____

_____

13

1 ¡Por favor!

Complete las siguientes oraciones con los verbos apropiados en el subjuntivo.

1. ¿De qué color quieres que (yo) _____ el comedor?

2. ¿Es posible que Ud. _____ esas fotos antes del fin de semana?

3. ¿Conoces un buen mecánico que _____ los coches extranjeros?

4. Voy a pedirle al carpintero que _____ nuevos gabinetes para la cocina.

5. Antes de reparar el grifo, es necesario que Ud. lo _____.

6. Vamos al mecánico para que _____ los frenos.

7. Es importante que Ud. _____ el aceite cada 3.000 kilómetros.

8. Ve a la estación de servicio para que (ellos) te _____ las llantas.

9. Pídale al mecánico que _____ agua en la batería.

10. Te compré carteles (*posters*) para que (tú) _____ tu habitación.

11. Antes de doblar es importante que (tú) _____ las luces direccionales.

12. Si no hay gasolina en el tanque, dudo que el coche _____.

2 Preguntas técnicas

Conteste las siguientes preguntas con oraciones completas.

A. El equipo eléctrico, audiovisual y de sonido

1. ¿En qué parte del televisor aparecen las imágenes?

_____

2. ¿Qué se pone dentro de la cámara antes de sacar fotos?

_____

_____

3. Cuando hay un apagón (*power failure*) en casa, ¿qué se debe revisar primero?

_____

_____

4. ¿Qué se debe cambiar en un radio portátil de vez en cuando?

_____

_____

5. ¿De qué parte del equipo de sonido sale la música?

_____

_____

6. ¿Qué se necesita para sacar fotos de objetos o personas muy lejanos (*far away*)?

_____

_____

B. El coche

7. ¿Qué debe encender Ud. si conduce de noche?

_____

_____

8. ¿Qué debe añadir en la batería de vez en cuando?

_____

_____

9. ¿Qué debe revisar si el coche no se para fácilmente?

_____

_____

10. ¿Qué debe hacer al pasar a otro coche?

_____

_____

11. ¿En qué parte del coche se ponen las maletas?

_____

_____

12. ¿Qué parte del coche hay que levantar antes de examinar el motor?

_____

_____

3 Diálogos

Complete los diálogos entre una empleada y un cliente de una manera lógica.

A. En la tienda de equipo audiovisual

Empleada: ¿_____?

Cliente: Mi estéreo no _____.

Empleada: ¿Sabe cuál es el problema?

Cliente: Creo que _____ está _____.

Empleada: Muy bien, vamos a _____.

Cliente: ¿_____?

Empleada: Dentro de _____.

B. En la gasolinera

Empleada: ¿En qué puedo _____?

Cliente: ¿Podría _____?

Empleada: ¡Claro! ¿Qué tipo de gasolina quiere?

Cliente: Gasolina sin _____.

Empleada: Muy bien. ¿Quiere Ud. que le _____?

Cliente: Sí, gracias. Y también, ¿podría Ud. _____?

4 El accidente

Conteste las siguientes preguntas según el dibujo.

1. ¿Dónde ocurre la escena?

_____

_____

2. ¿A quién llama el joven? ¿Para qué?

_____

_____

3. ¿Adónde van a remolcar *(tow)* el coche? ¿Qué clase de vehículo necesitan para hacerlo?

_____

_____

4. ¿Cuáles son los varios daños *(damage)* que tiene el coche?

_____

_____

_____

5. ¿Qué hay que hacer para arreglar el coche? ¿Serán costosas *(expensive)* las reparaciones? ¿Por qué?

_____

_____

_____

6. En su opinión, ¿cómo ocurrió el accidente?

_____

_____

_____

5 A Ud. le toca

Imagínese que Ud. se encuentra en las siguientes situaciones. Exprésese en español.

1. *You are in a photo shop. Ask the salesperson for a roll of film. Also ask whether they develop film.*

_____

_____

_____

_____

_____

2. *You are working in a stereo shop. A customer brings in her stereo. Tell her that one of the speakers does not work. Also tell her that you will take it apart and check it. Say that her stereo will be ready in a week.*

_____

_____

_____

_____

_____

_____

3. *You are working as a mechanic. Tell your customer that his car has an oil leak. Tell him that you will also check the brakes and clean the spark plugs.*

_____

_____

_____

_____

_____

4. *You are at a gas station. Your car has various problems. Tell the attendant that the turn signals and the horn do not work. Ask if she can fix them. Also ask her to change the windshield wipers and to put air in the tires. Ask when the car will be ready.*

_____

_____

_____

_____

_____

13

Estructuras gramaticales

A. La voz pasiva

1 ¿Quién?

Conteste las siguientes preguntas con la voz pasiva. ¡Cuidado! Use los verbos en el mismo tiempo que el de las preguntas.

MODELO: ¿Quién revelará las fotos? (el fotógrafo)

Las fotos serán reveladas por el fotógrafo.

1. ¿Quién revisó los frenos? (el mecánico)

_____

2. ¿Quién subirá las maletas? (el botones)

_____

3. ¿Quién copia las cartas? (la secretaria)

_____

4. ¿Quién pintó este retrato? (un artista mexicano)

_____

5. ¿Quién había escrito esos artículos? (una periodista peruana)

_____

_____

2 La visita turística

Una guía le explica ciertas cosas a un grupo de turistas. Haga el papel de la guía usando la voz pasiva en el pretérito.

MODELO: Los Romanos fundaron la ciudad.

La ciudad fue fundada por los Romanos.

1. Un arquitecto francés construyó el castillo.

_____

2. El gran pintor Velázquez pintó esos cuadros.

_____

3. Un escultor desconocido (unknown) hizo esas estatuas.

_____

4. Unas arquitectas jóvenes restauraron esos monumentos antiguos.

_____

5. Un pintor italiano decoró las salas.

_____

6. La reina Isabel fundó esas iglesias.

_____

B. Las construcciones ser y estar + *el participio pasado*

3 ¡Lógica!

Para cada una de las siguientes cosas, construya dos oraciones explicando (1) su condición presente y (2) cómo ocurrió esta condición. Use los elementos de las columnas A y B. ¡Estudie el modelo y sea lógico(a)!

A	B
abrir	el ladrón
cerrar	la camarera
apagar	el mecánico
encender	el empleado
romper	el carpintero
arreglar	la gerente
desarmar	el niño
preparar	el viento
firmar *(to sign)*	el reparador
revisar	

MODELO: Las ventanas *están abiertas (cerradas).*
Fueron abiertas (cerradas) por el viento (el ladrón, la camarera...).

1. La puerta _____
_____

2. La comida _____
_____
_____

3. Los frenos _____
_____
_____

4. La carta _____
_____

5. Las camas _____
_____

6. La radio _____
_____
_____

7. Las luces _____
_____
_____

8. La caja fuerte *(safe)* _____
_____

13

4 ¿Ser o estar?

Complete las siguientes preguntas con el verbo apropiado.

1. ¿Hasta cuándo _____ abierto el museo? (es / está)

2. ¿En qué año _____ construido ese edificio? (fue / estuvo)

3. ¿Por quién _____ pintados esos retratos? (fueron / estuvieron)

4. ¿En qué idioma _____ escritos esos documentos? (son / están)

5. ¿A qué hora _____ invitados a la fiesta? (somos / estamos)

6. ¿Cuándo _____ arreglado mi reloj? (será / estará)

7. ¿Por quién _____ firmadas las cartas? (serán / estarán)

8. ¿Dónde _____ aparcado tu coche? (es / está)

9. ¿Cuándo _____ enviados esos cheques? (fueron / estuvieron)

10. ¿Cómo _____ decorado tu cuarto? (es / está)

11. ¿A quién le _____ presentada la cuenta? (fue / estuvo)

C. *La construcción* se + *verbo*

5 Investigaciones

Ud. quiere saber más sobre los siguientes casos. Complete las preguntas usando el pretérito según el modelo.

MODELO: Las ventanas están abiertas.

¿Cómo *se abrieron las ventanas?* _____?

1. Los vasos están rotos.

¿Cómo _____?

2. Las tiendas están cerradas.

¿A qué hora _____?

3. Las luces están encendidas.

¿Por qué _____?

4. Los jugadores están heridos.

¿Cómo _____?

5. La casa está destruida.

¿De qué manera _____?

6. Los documentos secretos están perdidos.

¿Cuándo _____?

7. El coche está aparcado.

¿Dónde _____?

8. Los árboles están quemados.

¿En qué estación del año _____?

6 ¿Cómo?

Diga cómo o cuándo se hacen las siguientes cosas. Escoja la expresión entre paréntesis más apropiada.

MODELO: en España / vender la gasolina (¿por litro o por galón?)

En España la gasolina se vende por litro.

1. en España / servir el café (¿con o después de la comida?)

_____

2. en la Argentina / practicar los deportes de nieve (¿en agosto o en enero?)

_____

3. en México / celebrar la fiesta nacional (¿el 4 de julio o el 16 de septiembre?)

_____

_____

4. en el mundo hispánico / medir [i] *(to measure)* las distancias (¿en kilómetros o en millas?)

_____

_____

5. en el verano / servir las bebidas (¿calientes o frías?)

_____

_____

7 Su casa en España

Ud. acaba de comprar una vieja casa de campo en España, que Ud. piensa modernizar. Ud. le explica a un amigo cómo transformará la casa. Construya seis oraciones lógicas usando los elementos de las columnas A y B con la construcción **se** + *verbo*.

A	B
construir	flores
pintar	el techo
instalar	una piscina
reparar	las cortinas
cambiar	el teléfono
decorar	las ventanas
arreglar	las habitaciones
limpiar	los muebles
plantar	

MODELO: *Se construirá una piscina.*

1. _____

2. _____

3. _____

4. _____

5. _____

6. _____

13

8 ¡Ay, qué mala suerte!

Diga lo que les ocurrió a las siguientes personas completando las respuestas según el modelo. Use la construcción con **se**.

MODELO: ¿Tiene los vasos el camarero? (caer)

No, *se le cayeron* _____ al suelo.

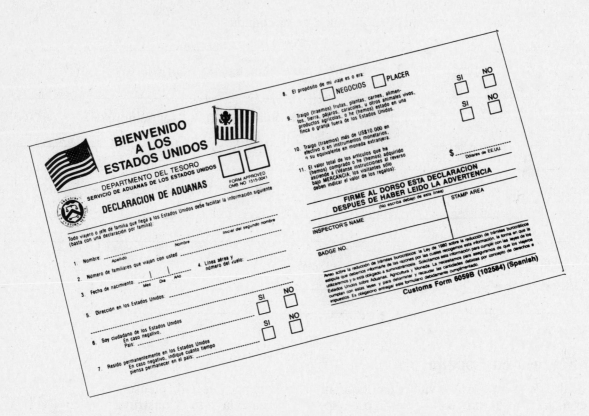

1. ¿Tienen sus pasaportes los turistas? (perder)

   No, _____ en el museo.

2. ¿Tiene todavía ese perro enorme Anita? (escapar)

   No, _____ durante un paseo por el campo.

3. ¿Tiene sus libros el estudiante? (quedar)

   No, _____ en casa.

4. ¿Tiene sus gafas Andrés? (olvidar)

   No, _____ en el consultorio del oculista.

5. ¿Tiene las tazas la camarera? (caer)

   No, _____ en la cocina.

6. ¿Tiene su bolígrafo Ana? (quedar)

   No, _____ en el banco.

7. ¿Tiene las bombillas el electricista? (romper)

   No, _____ al sacarlas de su coche.

8. ¿Tiene todavía a su abuela Catalina? (morir)

   No, _____ el año pasado.

Lecturas literarias

El forastero gentil

Palabras claves

1 Complete las siguientes oraciones con las palabras apropiadas de los vocabularios en las páginas 402 y 406 de su texto. Haga los cambios que sean necesarios.

[I] 1. Mi papá quiere que le ponga la _____ nueva al caballo antes de montarlo.

2. Alrededor de la casa había un _____.

3. Aquel camino es muy _____ y ya han ocurrido muchos accidentes.

4. Al principio pensaron que el recién llegado (*newcomer*) era un matón que venía _____.

5. Diez _____ trabajaban en el rancho durante el día.

[II] 6. Después de un viaje tan largo, está muerto de hambre y de _____.

7. No quería llorar pero las _____ le corrían por las mejillas.

8. Desde lejos veía como los niños _____ para despedirse de él.

9. Como todos estaban durmiendo, Juan _____ a la puerta para despertarlos y darles las buenas noticias.

10. La familia _____ con mucho cariño los regalos que Dan les envió.

Estructuras gramaticales

2 La construcción se + *verbo*

Complete las siguientes frases según el texto. Luego escriba el equivalente en inglés.

1. I, línea 22:   . . . que _____ una pierna a su caballo . . .

            _____

            _____

2. I, línea 29:   En todo _____ .

            _____

3. I, línea 41:   No _____ al fuerte donde vivían los peones.

            _____

            _____

4. I, líneas 41–42: _____ una habitación de la casa.

            _____

            _____

5. I, línea 44:   . . . no _____ a comer con la familia.

            _____

            _____

6. I, línea 62:   A veces _____ revisando los corrales . . .

            _____

            _____

7. I, línea 73:   El nombre _____ a mi padre . . .

            _____

            _____

8. II, líneas 36–37: _____ en la casa de él con frecuencia . . .

            _____

            _____

9. II, líneas 37–38: . . . y _____ si algún día volvería.

            _____

3 Repaso: el imperfecto del subjuntivo

Complete las siguientes frases según el texto. Luego escriba el equivalente en inglés.

1. I, líneas 36–37: . . . como si aquello _____ algún rito misterioso . . .

_____

2. I, líneas 37–38: . . . casi como si _____ una extraña comunión.

_____

3. I, línea 42: Le llevaron agua para que _____ . . .

_____

4. I, líneas 79–80: . . . acaso Dan Kraven _____ de un hermanito, o un hijo.

_____

5. II, línea 5: Era como si la vida _____ una carga larga y pesada.

_____

6. II, líneas 18–19: Le dijo a Dan que _____ .

_____

7. II, líneas 35–36: Era ya todo como si _____ un cuento . . .

_____

8. II, línea 39: . . . antes de que la familia se _____ . . .

_____

Mejore su español

4 Complete con la palabra que más convenga.

1. El abuelo nos dijo que él sentía el _____ de los años de duro trabajo.

2. Hay que limpiar bien la _____ porque los caballos que están allí cuestan un dineral *(fortune)*.

3. Les _____ a todos Uds. por haber sido tan generosos conmigo.

4. Fueron de vacaciones a una isla del Pacífico porque querían _____ y escapar de la rutina diaria.

5. Como señal de _____ los huéspedes le regalaron un ramo *(bouquet)* de rosas blancas.

6. El palomino es el mejor animal de la _____ que trajimos la semana pasada.

Expansión: Modismos, expresiones y otras palabras

stranger	**el extranjero** *stranger, foreigner* (from another country)	
	Llevó al **extranjero** al zaguán.	*He took the **stranger** to the entrance hall.*
	el forastero *stranger, outsider* (from the same country)	
	El misterioso **forastero** tomaba al niño de la mano.	*The mysterious **stranger** took the child by the hand.*
law	**la ley** *law, legal authority*	
	perseguido por **la ley**	*pursued by **the law***
	el derecho *law, legal studies*	
	Estudió **derecho**.	*He studied **law**.*
time	**una vez** (a single) *time, occurrence*	
	tres **veces** al día	*three **times** a day*
	el tiempo (period of) *time; time* (in the abstract)	
	¡Cómo vuela **el tiempo**!	*How **time** flies!*
	la época (historical) *time*	
	la época de mis abuelos	*the **time** of my grandparents*

5   Dé el equivalente en español de las siguientes frases.

1. *The stranger was not from around here; he was from another land.*

   El _____ no era de aquí; venía de otras tierras.

2. *The outsider was a quiet man.*

   El _____ era un hombre callado.

3. *Luis is attending law school this year.*

   Luis asiste a la facultad de _____ este año.

4. *It's necessary that you respect the law.*

   Es necesario que respetes la _____.

5. *During that time there was a drought.*

   Durante esa _____ hubo una sequía.

6. *I went to Spain three times.*

   Fui a España _____.

7. *There is no time to waste.*

   No hay _____ que perder.

8. *How many times did you call me?*

   ¿Cuántas _____ me llamaste?

Unidad 14

◖ Escenas de la vida ◗

El crimen no paga

1 Comprensión del texto e interpretación personal

Lea otra vez el texto en las páginas 412–417 de su libro y conteste las siguientes preguntas.

1. ¿Qué tipo de persona es el Sr. Robles? ¿Le gustaría tenerlo como jefe en su trabajo? Explique su respuesta.

   _____

   _____

   _____

   _____

   _____

2. ¿De qué manera engañó (duped) el falso director al Sr. Robles? Según Ud., ¿por qué fue tan fácil engañarlo?

   _____

   _____

   _____

   _____

   _____

3. Imagínese que Ud. está en el lugar del Sr. Robles. ¿Cómo habría reaccionado ante (faced with) la oferta del falso director? ¿Qué habría hecho para averiguar (to check) sus credenciales?

   _____

   _____

   _____

   _____

   _____

4. Según Ud., ¿cómo van a reaccionar los jefes del Sr. Robles al enterarse (when they are informed) del robo? ¿Qué va a pasarle al Sr. Robles?

   _____

   _____

   _____

   _____

   _____

14

2 En la comisaría de policía

Después de darse cuenta del robo, el Sr. Robles va a la comisaría de policía para contar la terrible desgracia. Un detective le hace algunas preguntas sobre lo que pasó.

Imagínese el diálogo entre el Sr. Robles y el detective.

El detective: ¿En qué puedo servirle, Sr. Robles?

Sr. Robles: Vengo a denunciar *(to report)* el gran robo que ocurrió en mi banco esta mañana.

_____

El detective: _____

Sr. Robles: _____

_____

_____

El detective: _____

_____

Sr. Robles: _____

_____

El detective: _____

_____

Sr. Robles: _____

_____

El detective: _____

_____

Sr. Robles: _____

_____

_____

El detective: _____

_____

_____

⟨ El español práctico ⟩

1 ¡Lógica!

Complete las siguientes oraciones con las palabras apropiadas.

1. Se puede ganar o perder mucho dinero especulando en la _____.

2. La _____ va a darle un recibo (deposit slip) por el dinero que Ud. acaba de depositar.

3. Durante el verano, trabajé en una _____ de tractores.

4. Si Ud. quiere quejarse, debe hablar con la _____ de la tienda.

5. Diana estudia Derecho (law) para ser _____.

6. En el Instituto Comercial, me especialicé en _____ internacional.

7. Claro, sé usar los ordenadores. ¿No sabías que soy especialista en _____?

8. Para continuar, Ud. tiene que apretar (press) la _____ →.

9. ¿Ha terminado de preparar el balance (balance sheet) la _____?

10. En las oficinas modernísimas no se usan máquinas de escribir sino _____.

11. El texto aparece en la _____ de la computadora.

12. ¿De qué universidad recibió Ud. el _____ de ingeniero?

13. Durante el verano, prefiero trabajar a media _____.

2 Carreras

Entre las siguientes carreras, escoja la que le interesa más a Ud. y descríbala en un párrafo corto.

abogado(a) / arquitecto(a) / periodista /
publicista / artista / decorador(a) /
profesor(a) / contador(a) / científico(a) /
agente de la bolsa de valores

_____

_____

_____

_____

_____

_____

_____

_____

_____

14

3 La entrevista

Usted quiere trabajar para una compañía mexicana que se especializa en negocio
internacional. Tiene una entrevista con la jefa de personal. Conteste sus preguntas.

1. ¿A qué escuela asiste Ud. ahora? ¿Cuándo se graduará?

_____

_____

2. ¿Qué asignaturas estudia Ud.?

_____

_____

3. ¿Ha trabajado Ud. antes? ¿Cuándo?

_____

_____

4. ¿Qué tipo de carrera le interesa a Ud.?

_____

_____

_____

5. ¿Sabe usar una computadora? ¿Qué otras máquinas de oficina sabe usar?

_____

_____

6. ¿Qué más sabe hacer?

_____

_____

7. Según Ud., ¿qué aptitudes personales tiene?

_____

_____

_____

8. ¿Qué tipo de trabajo le gustaría hacer?

_____

_____

_____

9. ¿Qué documentos ha traído?

_____

_____

4 La oferta de empleo

Esta oferta de empleo apareció en un periódico de Venezuela. Léala atentamente y conteste las siguientes preguntas.

SECRETARIA EJECUTIVA BILINGÜE
(ESPAÑOL-INGLÉS)

Prestigiosa empresa multinacional ubicada en el Este de la ciudad está en la búsqueda de una Secretaria Ejecutiva bilingüe que reúna los siguientes requisitos:

- Edad: Entre los 25 y 30 años
- Experiencia: Mínimo tres años
- Excelente dominio del idioma inglés, taquigrafía
- Amplia capacidad de trabajo: Organizada, creativa, dinámica

La empresa ofrece un atractivo paquete de remuneraciones, excelentes condiciones de trabajo y posibilidades de desarrollo.

Interesadas favor enviar curriculum vitae con fotografía reciente, constancia de estudios y trabajos anteriores, a la siguiente dirección:

Dirección de Recursos Humanos
Apartado 61081 Chacao, Caracas

---

1. ¿Qué tipo de compañía puso el anuncio?

   _____

   _____

2. ¿Dónde está ubicada (situada) la compañía?

   _____

   _____

3. ¿Qué tipo de trabajo ofrece la compañía?

   _____

   _____

4. ¿Cuáles son los requisitos profesionales para el puesto?

   _____

   _____

   _____

5. ¿Cuáles son las aptitudes personales necesarias?

   _____

   _____

   _____

6. ¿Qué deben hacer las personas interesadas en el puesto?

   _____

   _____

14

5 Al trabajo

Conteste las siguientes preguntas según el dibujo.

1. ¿Dónde ocurre la escena?

_____

_____

_____

2. ¿Cómo se llama la señora que se encuentra en el despacho de la izquierda? Según Ud., ¿cuál es su puesto en la empresa?

_____

_____

_____

3. ¿Qué está haciendo la señora Ortiz? Según Ud., ¿para qué?

_____

_____

_____

4. ¿Qué está haciendo el hombre en el centro del dibujo? ¿Qué máquina está usando?

_____

_____

_____

5. ¿Cuál es el trabajo de la señora de la derecha? ¿Qué está haciendo?

_____

_____

_____

6 A Ud. le toca

Imagínese que Ud. se encuentra en las siguientes situaciones. Exprésese en espanol.

1. *You are answering an ad for a summer job in a hotel. Call the hotel to inquire about the job (salary, work hours, etc.) and to make an appointment with the manager.*

_____

_____

_____

_____

_____

_____

_____

2. *You are answering a help wanted ad for a sales representative in an insurance company. Explain to the head of personnel why you are qualified.*

_____

_____

_____

_____

_____

_____

_____

3. *As a bank branch manager, you are looking for an assistant. Ask the young woman who has applied for the position what her personal and professional qualifications for this job are.*

_____

_____

_____

_____

_____

_____

A. *El pluscuamperfecto del subjuntivo*

1 Dudas

Describa las dudas de las siguientes personas usando el imperfecto del verbo
dudar que + *el pluscuamperfecto del subjuntivo*.

MODELO: la contadora (el cliente / enviar el cheque)

La contadora dudaba que el cliente hubiera enviado el cheque.

1. el profesor (nosotros / hacer la tarea)

_____
_____

2. la jefa (su asistente / escribir la carta)

_____
_____

3. el bibliotecario *(librarian)* (yo / devolverle los libros)

_____
_____

4. la policía (tú / ver platillos voladores *[flying saucers]*)

_____
_____

5. el juez *(judge)* (los testigos / decir la verdad)

_____
_____

6. la enfermera (tú / romperse la pierna)

_____
_____

7. yo (el pájaro / abrir la jaula *(cage)* por sí mismo)

_____
_____

8. los historiadores *(historians)* (el rey / morir de muerte natural)

_____
_____

2 ¡Lógica!

Describa lo que pensaban las siguientes personas de lo que habían hecho las personas de la columna B usando los verbos de las columnas A y C y su imaginación. Construya oraciones lógicas según el modelo.

A	B	C
esperar	yo	divertirse
temer	tú	recuperarse
lamentar	nosotros	encontrar
estar encantado de	los estudiantes	salir bien
dudar	mis amigos	ganar
no creer	los dependientes	perder
no estar seguro de		romperse
estar sorprendido de		vender
		comprar

MODELO: Mis padres *no creían que yo hubiera encontrado un buen trabajo en solamente dos semanas.*

1. Yo _____

2. El profesor _____

3. La enfermera _____

4. La gerente _____

5. Guillermo _____

6. Mis hermanos _____

7. Mis padres _____

B. El condicional perfecto

3 Con más dinero

Lea lo que las siguientes personas hicieron y diga lo que habrían hecho con más dinero.

MODELO: Isabel se compró pendientes de plata. (una pulsera de oro)

Con más dinero, *Isabel se habría comprado una pulsera de oro.*

1. Nos quedamos en una posada. (en un hotel de lujo)

   Con más dinero, _____

2. Alquilé una bicicleta. (un coche deportivo)

   Con más dinero, _____

3. Fuiste al campo. (a orillas del mar)

   Con más dinero, _____

4. Uds. pasaron una semana en Portugal. (un mes en España)

   Con más dinero, _____

5. Gabriela me invitó al cine. (a un espectáculo de baile flamenco)

   Con más dinero, _____

4 El pobre Jorge

El pobre Jorge no encontró un buen trabajo por no haber hecho ciertas cosas.
Diga lo que habrían hecho Ud. y sus amigos en su lugar.

MODELO: No aprendió a programar.

En su lugar, Elena _habría aprendido a programar._

1. No leyó los anuncios.

   En su lugar, Uds. _____

2. No envió su curriculum vitae.

   En su lugar, yo _____

3. No les pidió cartas de recomendación a sus profesores.

   En su lugar, tú _____

4. No fue a la agencia de empleos.

   En su lugar, Catalina _____

5. No tuvo una entrevista con la jefa de personal.

   En su lugar, nosotros _____

C. Las cláusulas condicionales en el pasado

5 ¡No se puede hacerlo todo!

Lea lo que hicieron las siguientes personas. Luego, diga lo que habrían hecho si
no hubieran hecho eso.

MODELO: Mi prima se hizo abogada. (periodista)

Si mi prima no se hubiera hecho abogada,
se habría hecho periodista.

1. Isabel compró una computadora. (un procesador de textos)

   _____

   _____

2. Nos especializamos en informática. (en contabilidad)

   _____

   _____

3. Carlos y Enrique estudiaron ingeniería (engineering). (economía)

   _____

   _____

4. Aprendiste a taquigrafiar. (a programar)

   _____

   _____

5. Trabajé para una agencia de publicidad. (para una compañía de seguros)

   _____

   _____

6 ¿Qué consecuencias?

Las siguientes personas no hicieron ciertas cosas. Diga lo que les habría ocurrido si las hubieran hecho. Observe que el segundo verbo puede ser afirmativo o negativo.

MODELO: Paco / estudiar (¿sacar malas notas?)

Si Paco hubiera estudiado, no habría sacado malas notas.

1. yo / contestar el anuncio de la oferta de empleo (¿conseguir mi entrevista?)

_____

2. tú / especializarse en finanzas (¿encontrar trabajo en un banco?)

_____

3. Ud. / encender la luz (¿caerse en la escalera?)

_____

4. tú / tomar una pastilla de dramamina (¿marearse?)

_____

5. el equipo / entrenarse (¿perder el campeonato?)

_____

6. nosotros / ponerse crema bronceadora (*suntan lotion*) (¿sufrir una quemadura de sol?)

_____

7 ¡Ay! ¡Qué mala suerte!

Lea lo que les ocurrió a las siguientes personas. Luego, use la construcción si + *el pluscuamperfecto del subjuntivo* y su imaginación para decir cómo habrían evitado (*avoided*) estos problemas.

MODELO: El Sr. García sufrió un accidente. *No habría sufrido un accidente si hubiera puesto las luces direccionales (si no hubiera pasado al otro coche, si hubiera tenido cuidado ...).*

1. Perdimos el tren.

_____

_____

2. Me torcí el tobillo.

_____

_____

3. Los turistas se perdieron en el centro.

_____

_____

_____

14

4. Elena se resfrió.

_____

_____

_____

5. El Sr. Meléndez pagó una multa (*traffic ticket*).

_____

_____

_____

6. Uds. tuvieron una avería.

_____

_____

_____

8 ¿Y usted?

Diga lo que Ud. habría o no habría hecho en las siguientes circunstancias, usando
su imaginación. Sus oraciones pueden ser afirmativas o negativas.

MODELO: vivir en el siglo XIX

Si hubiera vivido en el siglo XIX, habría estudiado latín.
Si hubiera vivido en el siglo XIX, no habría estudiado informática.

1. vivir en un castillo (*castle*) medieval

_____

_____

_____

_____

2. vivir en la Roma antigua

_____

_____

_____

_____

3. ser Cristóbal Colón

_____

_____

_____

_____

4. ser Eleanor Roosevelt

_____

_____

_____

_____

D. Los pronombres relativos **que** y **quien**

9 ¿Que o quien(es)?

Complete las oraciones con **que** o **quien(es)**.

1. La persona _____ vimos ayer es una periodista famosa.

2. ¿Cómo se llaman los empleados con _____ hablaste?

3. Buscamos una mecanógrafa _____ sepa trabajar con procesador de textos.

4. Quisiera hablarle a la persona a _____ le envié mi curriculum vitae.

5. Clara recibió una carta del muchacho _____ conoció el verano pasado.

6. La Sra. Ruiz tiene una asistente en _____ tiene confianza (trust) absoluta.

7. Las abogadas de _____ me hablaste trabajan en esta oficina.

8. ¿Dónde están los arquitectos _____ diseñaron ese edificio?

E. El pronombre relativo **cuyo**

10 ¿De quien o cuyo?

Complete las siguientes oraciones con **de quien(es)** o la forma apropiada de **cuyo**.

1. Mi amiga _____ padre es médico va a visitarme mañana.

2. Los amigos _____ te hablé estudian informática.

3. Este profesor tiene estudiantes brillantes _____ está muy orgulloso.

4. Antonio tiene nuevos vecinos _____ no sabe nada.

5. Rafael, a _____ hermana conoces, acaba de llamarme por teléfono.

6. ¿Quién es la persona _____ oficina queda al fondo del pasillo?

7. Julio Iglesias es un cantante _____ canciones son muy populares.

El árbol de oro

Palabras claves

1 Complete las siguientes oraciones con las palabras apropiadas de los vocabularios en las páginas 439 y 443 de su texto. Haga los cambios que sean necesarios.

[I] 1. El director de cine quiere que su estrella principal _____ del público.

     2. Para abrir la torrecita Ivo necesitaba una _____.

     3. Del _____ de un árbol salen las ramas.

     4. Por la _____ de la puerta puedes ver lo que pasa adentro.

     5. El sol le da en la cara y por eso _____ el chico.

     6. Para que su hermano no lo viera, Eduardo se _____ detrás de ese muro de ladrillo.

     7. Alicia, te prohibo que pongas tu ropa en mi _____.

[II] 8. El campo de esa región es _____. No hay cultivos (*crops*).

     9. Hágame el favor de _____ ese cuadro en la pared. Está chueco (*uneven*).

   10. Había muchas crucecillas en el _____.

   11. En el campeonato mundial de fútbol los equipos se disputaban (*were competing for*) la _____ copa.

   12. Tenemos la impresión de que el perro _____ demasiado. ¡Mira lo grande que está!

   13. Ten cuidado con el dinero. Los vendedores te pueden _____ cuando compres la mercancía (*merchandise*).

   14. Allí no venden flores frescas. Mira como los _____ se caen al suelo. ¡No las compres!

Estructuras gramaticales

2 ¿Indicativo o subjuntivo?

Complete las siguientes oraciones según el texto. Luego indique la forma del verbo (presente, imperfecto o pluscuamperfecto) y su uso.

Uso:

    A. subjuntivo: antecedente indefinido
    B. subjuntivo: conjunción de tiempo
    C. subjuntivo: condición irreal (hipótesis)
    D. subjuntivo: después del superlativo
    E. indicativo: condición existente
    F. indicativo: resultado real

1. I, línea 13:   No es que _____ ni inteligente ni gracioso, . . .

    Forma: _____   Uso: _____

2. I, líneas 14–15: que conseguía cautivar a quien le _____.

    Forma: _____   Uso: _____

3. I, líneas 27–28: y por nada del mundo la _____.

    Forma: _____   Uso: _____

4. I, línea 44:   Si no se lo _____ a nadie . . .

    Forma: _____   Uso: _____

5. I, líneas 65–66: si algún pájaro se le pone encima también _____ de oro.

    Forma: _____   Uso: _____

6. I, líneas 66–67: si _____ a una rama, ¿me volvería acaso de oro también?

    Forma: _____   Uso: _____

7. II, líneas 38–39: Antes de que _____ las nieves regresé a la ciudad.

    Forma: _____   Uso: _____

3 Pronombres relativos

Complete las siguientes frases según el texto con un pronombre relativo.

1. I, líneas 9–10: un muchacho . . . _____ bizqueaba

2. I, líneas 11–12: por el don _____ poseía

3. I, línea 14:   en las cosas _____ contaba

4. I, línea 15:   cautivar a _____ le escuchase

5. I, líneas 19–20: distinciones _____ merecían alumnos más estudiosos

6. I, líneas 22–24: una pequeña torre . . . en _____ interior se guardaban los libros de lectura

14

Expansión: Modismos, expresiones y otras palabras

(I) **a cambio (de)** *in exchange (for)*
  de qué manera *how, in what way*
  en todo momento *constantly, at every moment*
  tal vez *perhaps*

(II) *to return* **volver** [ue] *to return, go back*
      Volví a las montañas. ***I returned** to the mountains.*

      regresar *to return, go back*
      Regresé a la ciudad. ***I returned** to the city.*

      devolver [ue] *to return* (something)
      Devolvió los libros ***He returned** the books*
      a la torrecita. *to the tower.*

4 Complete con la expresión apropiada.

1. Te doy veinte dólares _____ de tu bicicleta vieja.
2. En el futuro, _____ visite el Lejano Oriente (*Far East*).
3. ¿_____ quieres que yo decore tu cuarto?
4. Uds. tendrán nuestro apoyo (*support*) y generosidad _____.

5 Dé el equivalente en español de las siguientes frases.

1. *He wants me to return your books.*

   Quiere que yo _____ tus libros.
2. *Yesterday I returned your records.*

   Ayer _____ tus discos.
3. *When do you plan to return to Colombia?*

   ¿Cuándo piensas _____ a Colombia?